D1043924

Novatores

Colección dirigida por Antonio Lafuente y Antonio Moreno

ibn ezra maimónides zacuto

sefaradcientífica

la visión judía de la ciencia en la edad media

mariano gómez aranda

prólogo de miguel garcía-posada

novatores
13

nivola

1ª edición: mayo 2003

Imagen de cubierta: Cuatro astrónomos observando las estrellas bajo la palabra *mada* "ciencia" (detalle). *Misné Torá* de Maimónides. Italia, 1450. Biblioteca Vaticana, Cod. Rossi 498, fol. 13v.

Composición de cubierta: LIBRO de ARENA
librodearena@avantemedia.com

Apartado de Correos 113. 28760 Tres Cantos
Tel.: 91 804 58 17 – Fax: 91 804 93 17
www.nivola.com
correo electrónico: nivola@nivola.com

ISBN (NIVOLA): 84-95599-61-9
ISBN (Comunidad de Madrid): 84-451-2464-1
Depósito legal: M-22.972-2003
Impreso en España

índice

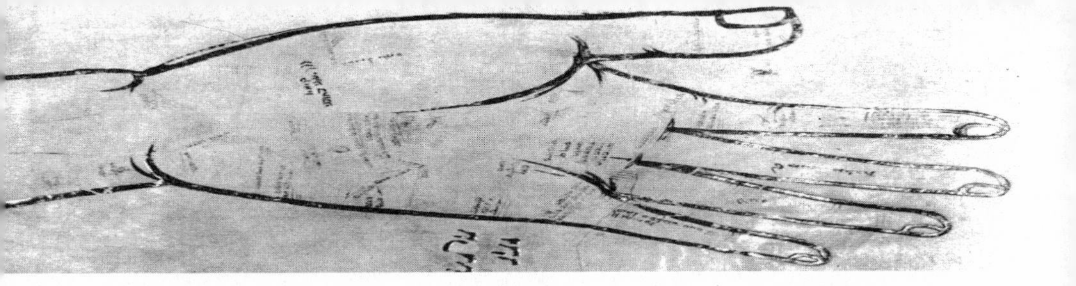

A Rosalía y Alejandro

Quiero expresar mi agradecimiento a la editorial NIVOLA por asumir la tarea de fomentar el conocimiento de uno de los aspectos menos divulgados de la historia de nuestro pasado, a Antonio Lafuente por confiar en mí para que llevara a cabo este trabajo, a Miguel García-Posada por usar su tiempo con verdadera generosidad y por sus sabias palabras, a Maite Ortega por sus siempre utilísimas sugerencias y, por supuesto, a Rosalía, porque supo ver mi obra con otros ojos y nunca dejó de apoyarme y darme ánimos.

Mariano Gómez Aranda

prólogodemiguelgarcía-posada

Más allá de las contiendas políticas y guerreras, la España medieval fue una fascinante encrucijada de tres culturas -cristiana, judía y musulmana- que convivieron, si no siempre armoniosamente, sí, desde luego, con una intensidad que los libros de historia ignoraron durante muchos, demasiados años.

Hubo luces y sombras en aquella rara conjunción, pero hoy lo que nos interesa son las luces. Entre ellas brillan de modo especial las judías. La presencia de los judíos en España, en Sefarad, databa de muchos siglos atrás; en Sefarad no pasaron inadvertidos, como en ningún lugar, pero ellos se sentían sefardíes, esto es, españoles, y cuando fueron obligados por el decreto de 1492, que tantas y graves consecuencias tuvo para España (siglo y medio después el conde-duque de Olivares pensaba en su revocación para sacar al reino de la bancarrota), cuando fueron obligados, decía, a abandonar Sefarad, unos -muchos- lo hicieron con el alma desgarrada entre la fe antigua, la fe mosaica, y la lealtad a su legítima patria, a Sefarad; otros se quedaron a regañadientes, impelidos a convertirse al cristianismo. De la diáspora conservamos bellísimos poemas, endechas y cantos de bodas, y una lengua, el judeoespañol o sefardí, que ha perdurado hasta nuestros días, pese a las persecuciones y los siglos, y cuya preservación es el mejor testimonio del amor de unos hombres a su legítima patria. Escritores hay que siguen cultivando el judeoespañol como lengua de cultura, literaria, esto es, el castellano del siglo XV. Y quedó también, junto con una lírica y una lengua, la gran cabalística judeocastellana, de suma importancia en la cultura hebrea, y un poeta excepcional, don Sem Tob, el rabino judío de Carrión de los Condes, en la provincia castellana de Palencia. Sus Proverbios son una obra capital de la literatura española, cuyo influjo llegaría hasta Antonio Machado. Al dedicarlos al rey Pedro I, rey aún de las tres religiones, el último, añadía:

No vale el azor menos
por nacer de mal nido,
ni los ejemplos buenos
por los decir judío.

Quedó también la peculiar cultura de los conversos, que o bien segregaban su desesperación como Fernando de Rojas en La Celestina, o bien la sublimaban en los delirios del éxtasis místico, como Juan de la Cruz y Teresa de Ávila, cuyas anomalías gramaticales y ortográficas, las de Teresa, obedecían al designio consciente de no llamar la atención: mujer, culta y de claros orígenes judaicos, podía ser demasiado para la época. Fray Luis de León, a quien Jorge Luis Borges considera el máximo poeta de la lengua castellana, sublimó también su conciencia de marginado en la elevación de sus odas, así como en el sufrimiento de que muchas de ellas son portadoras. Y si la diáspora se llevó por los siglos y los mundos el recuerdo de Sefarad, no cesaron ni la nostalgia de la patria perdida ni en bastantes casos la conservación de la llave de la casa raíz, que guardaron los sefardíes de generación en generación, como declara el hermoso poema de Borges "Una llave en Salónica":

Abarbaniel, Farías o Pinedo,
arrojados de España por impía
persecución, conservan todavía
la llave de una casa de Toledo.

Libres ahora de esperanza y miedo,
miran la llave al declinar el día;
en el bronce hay ayeres, lejanía,
cansado brillo y sufrimiento quedo.

Pero los judíos españoles dejaron también un legado científico considerable, y tal es el objeto de esta obra, que aborda las biografías de Abraham Ibn Ezra, Maimónides y Abraham Zacuto, los científicos sefardíes más destacados de la España medieval. Ibn Ezra y Zacuto sobresalieron en el campo de la astronomía y la astrología. Las investigaciones de Zacuto influyeron en los viajes de Colón y Vasco de Gama. Estudioso de la medicina, Maimónides fue un gran médico, que ya señaló la importancia de lo psicosomático en la curación y prevención de las enfermedades.

Tres científicos de excepción, tres astros que brillan en la noche de los tiempos con el fulgor que tienen los legados perdurables.

Miguel García-Posada

introducción

A finales de 1468, el rey Juan II de Aragón recibió una carta del médico judío Cresques Abnarrabí en la que le decía lo siguiente:

> *Vuestra majestad me ha manifestado cómo por gracia de Dios ve bien del ojo derecho, después de la operación que tuvo lugar aquel día elegidísimo del 11 de septiembre, y piensa operarse del otro ojo, por lo cual me pide que elija un día tan adecuado como aquel... Pero en este menguante de la Luna de octubre no hay un día tan propicio como lo fue el 11 de septiembre, porque aquel era muy singular, y pasarán más de doce años hasta encontrar otro semejante... Vuestra majestad demostró una gran sabiduría al elegir aquel día para operarse, y así dijo Salomón: los labios del rey son un oráculo, su boca no yerra en la sentencia (Prov 16,10).*

Esta anécdota pasaría desapercibida si no fuera porque en ella se reflejan las principales inquietudes científicas de los judíos de Sefarad, nombre con el que designaban a la península Ibérica, en la Edad Media: la medicina, la astronomía y la astrología, que entonces también era considerada una ciencia. Algunos médicos medievales opinaban que era fundamental consultar la posición de los astros en el cielo a la hora de establecer el diagnóstico de las enfermedades o cuando tenían que realizar alguna intervención quirúrgica, como aquí se indica. Pero, además, esta anécdota pone de relieve la estrecha relación que existía en el pensamiento judío entre la ciencia y la interpretación de la *Biblia*; en este caso, se menciona un versículo bíblico para mostrar que la inteligencia del rey tiene un fundamento en la Escritura. En general, los exégetas judíos sefardíes de la Edad Media se van a destacar de los de otros países precisamente por aplicar las teorías científicas de su tiempo a la interpretación del texto bíblico, una de las características más novedosas de la época y por la que fueron altamente apreciados fuera de nuestras fronteras no sólo en círculos judíos, sino también cristianos y, sobre todo, entre los escolásticos. Mediante el método científico de interpretación de la *Biblia*, los judíos pretendían ofrecer una solución al clásico conflicto entre la fe y la razón que dominó el pensamiento filosófico del medievo.

***Compendio de los libros de Galeno* de Maimónides, Cataluña, s. XIV. París, Biblioteca Nacional, Ms. heb. 1203, fol. 45v.**

Los judíos de Sefarad heredaron la ciencia de los musulmanes que, por su parte, fueron recogiendo todos los conocimientos científicos de los países que conquistaron. Fue así como la ciencia griega, persa, egipcia e india se transmitió, a través de la lengua árabe, al mundo occidental. La ciencia medieval no se distingue precisamente por la introducción de nuevas teorías, ni por la aparición de sistemas científicos revolucionarios, sino que es continuación del pensamiento desarrollado en la Antigüedad. La originalidad de los autores medievales se puede encontrar en las aplicaciones prácticas de las teorías básicas de esta ciencia a las nuevas necesidades y, sobre todo, en la utilidad del pensamiento científico para la religión. En este sentido, musulmanes, judíos y cristianos van a encontrar en la herencia científica del mundo antiguo una ayuda fundamental para la interpretación de sus textos sagrados, el *Corán* y la *Biblia* respectivamente, y un argumento sólido para poner en práctica sus tradiciones, leyes y normas religiosas. Sin embargo, la aplicación práctica de la ciencia despertó duras controversias en el seno de las grandes religiones, entre quienes opinaban que la religión no necesitaba de ningún apoyo científico para ser practicada y quienes, sin embargo, pensaban que la ciencia daba respuesta a muchas inquietudes que la religión despertaba en el pensamiento racionalista. En el caso del judaísmo, además, hubo quienes consideraron que la ciencia de la Antigüedad transmitida por los musulmanes era ajena a su propia tradición y podía convertirse en una amenaza a la pureza de su propia cultura. Los pensadores judíos medievales, tales como Abraham bar Hiyya, Maimónides o Abraham ibn Ezra, conscientes de estas objeciones, mantenían la idea de que las teorías científicas desarrolladas por otras culturas ya estaban presentes en el propio texto bíblico de una forma velada que solamente los muy expertos en la interpretación exegética podían descubrir. Hubo otros que incluso llegaron a considerar que los griegos habían robado la ciencia a los judíos, aunque, en realidad, esta forma de pensar no era más que una manera de tratar de justificar que la mentalidad científica no era ajena al judaísmo, sino que formaba parte de su bagaje cultural. Al tratar de conciliar la tradición judía con el pensamiento científico los judíos no pretendían otra cosa que otorgar legitimidad a la ciencia.

En esta obra se estudiarán las biografías de tres autores emblemáticos de los principales intereses científicos de los judíos medievales. El desarrollo de la astronomía y la astrología por Abraham ibn Ezra y Abraham Zacuto y la aportación de Maimónides en el terreno de la medicina ponen de relieve la preocupación de los judíos de Sefarad por integrar la ciencia heredada de la Antigüedad en su propio sistema de pensamiento. Las circunstancias personales y los momentos históricos que les tocó vivir también demuestran que la ciencia fue en sus manos un elemento de poder que les facilitó un medio para ganarse la vida y un camino para alcanzar las esferas más altas de la sociedad gracias al servicio que prestaron a los poderes establecidos.

Preparación de un antídoto.
***Materia médica* de Dioscórides, 1124.**

Es preciso, sin embargo, conocer previamente, aunque de forma breve, el panorama en el que surgió la ciencia en el judaísmo medieval y analizar cómo las circunstancias históricas determinaron su evolución a lo largo de los siglos de permanencia en la península.

El califato de Córdoba

El interés de los judíos por la ciencia nace en la época del Califato de Córdoba (912-1031) cuando estos se encontraban inmersos en el ambiente intelectual hispano-árabe. Es una época de esplendor, que continuó durante los reinos de taifas y duró hasta mediados del siglo XII, cuando la llegada de los almohades inicia la decadencia cultural y científica de al-Ándalus.

Destaca en este período la práctica de la medicina. Los avances de esta ciencia llegaron a la península a través de las traducciones al árabe de tratados médicos que tenían su origen en India, Siria, Persia, Egipto y, sobre todo, en Grecia, donde predominaban las teorías de los grandes profesionales de la medicina del mundo helenístico:

la*materia*médica de dioscórides

La Materia médica *de Dioscórides es un tratado de farmacología, escrito por el médico y naturalista griego del siglo I de nuestra era, en el que se recoge el saber de la Antigüedad sobre las sustancias que se utilizan para fabricar medicamentos y antídotos contra los venenos. Contiene las descripciones de unas novecientas plantas, sustancias animales y minerales que tienen propiedades para curar ciertas enfermedades.*

Representación de la triaca. *Tacuinum sanitatis in medicina.* Ms. Fac. 343. Biblioteca Nacional de Austria.

Gracias a la traducción al árabe de esta obra en la que colaboró Hasdai ibn Saprut, se conoció en al-Ándalus, por primera vez, una variedad de la triaca llamada faruq, *que fue uno de los antídotos contra las mordeduras de animales venenosos más utilizados en la Edad Media. También se menciona en esta obra la poca utilidad que tiene en medicina una planta conocida con el nombre de* bledo. *Aparece aquí además la antigua teoría de que el cuerpo humano está constituido en analogía con la naturaleza y que cada una de sus partes corresponde a cada uno de los signos del zodíaco, que fue una idea muy popular en la Edad Media y muy utilizada en la medicina y en las prácticas mágicas. Pero el principal interés de la obra de Dioscórides es su enorme contribución al desarrollo de la farmacología en al-Ándalus y su influencia en la medicina*

Hipócrates y Galeno. Uno de los principios fundamentales de la medicina medieval, heredado de los griegos, era la teoría de los cuatro humores del cuerpo humano: la sangre o humor rojo, la flema o humor blanco, la bilis amarilla o humor amarillo y la bilis negra o humor negro. Se pensaba que la enfermedad y el dolor se producían cuando se perdía el equilibrio entre ellos y uno u otro aumentaba excesivamente, tanto en su poder como en su cantidad. El exceso o la escasez de cada humor también determinaba la constitución, el temperamento y el carácter de las personas. Así, por ejemplo, una gran cantidad de humor negro originaba el carácter melancólico y depresivo, el predo-

medieval que llegó incluso hasta el Renacimiento.

La historia de la transmisión de esta obra es muy curiosa. A mediados del siglo X el califa cordobés, Abderramán III, recibió un regalo enviado por el emperador de Bizancio, Constantino VII, cuya intención era la de firmar un tratado de amistad para unir fuerzas e intentar frenar las tendencias expansionistas de los califas de Egipto. Se trataba de un manuscrito en griego de la famosa obra de Dioscórides e iba acompañado de una carta del emperador en la que decía "sólo puede obtenerse provecho del Dioscórides con un traductor avezado en el griego y que conozca las propiedades de estas drogas. Si tienes en tus tierras a alguien que reúna estas dos condiciones, sacarás, oh majestad, la mayor utilidad de este libro". Como no había nadie en toda Córdoba que conociera esta lengua, ni siquiera entre los cristianos, el califa pidió al emperador que le enviara a alguien capaz de traducir la obra al árabe. Así, en el año 951, llegó a la capital de al-Ándalus el monje cristiano Nicolás para emprender dicha tarea, pero se encontró con la dificultad de que no conocía el equivalente en árabe de algunos nombres griegos de sustancias fundamentales. Buscaron entre todos los médicos más famosos de Córdoba y fue así como encontraron al judío Hasdai ibn Saprut, que se ofreció a colaborar en la traducción.

Representación y descripción del laurel en la *Materia médica* de Dioscórides. Siglos XII-XIII. París, Biblioteca Nacional.

minio del humor amarillo influía en el temperamento colérico y el carácter flemático estaba producido por la abundancia del humor blanco o flema. La teoría humoral estuvo vigente hasta el siglo XVII cuando se descubrió la doble circulación de la sangre.

La lengua utilizada por los judíos en al-Ándalus en sus tratados sobre ciencia era el árabe y, en algunos casos, el judeo-árabe, una variante del árabe que se escribía con caracteres hebreos y contenía préstamos de esta lengua. El hebreo, en cambio, se reservaba para la poesía y, a veces, también para la exégesis bíblica, es decir, para la expresión de todo aquello que afecta a la parte más íntima y personal del ser humano: los sentimientos y la religión.

lafilologíacomocienciapara interpretarla*biblia*

Aunque la preocupación por los asuntos lingüísticos sobre el texto bíblico es paralela a su propio proceso de transmisión, fue el contacto con la cultura árabe lo que más influyó en el desarrollo de la filología hebrea. El interés que los musulmanes habían demostrado en la elaboración de obras filológicas árabes, cuyo objetivo principal era buscar la correcta interpretación del Corán, sirvió de estímulo y acicate para que los judíos hicieran lo mismo con su propio texto sagrado. Saadia Gaón, que vivió en Babilonia en la primera mitad del siglo X, dio los primeros pasos en la ciencia de la filología con la elaboración de tratados lexicográficos, gramaticales y exegéticos, pero fueron los filológicos andalusíes de la época del califato de Córdoba, gracias al apoyo de Hasdai ibn Saprut, los que mayor impulso dieron a esta ciencia.

Menahem ben Saruq escribió en el siglo X un diccionario titulado Mahberet *en el que agrupaba las palabras hebreas de la* Biblia *por raíces señalando el contexto en el que aparecen. Un contemporáneo suyo, conocido con el nombre de Dunas ben Labrat, escribió otra obra titulada* Tesubot *(Respuestas) en la que criticaba duramente los criterios seguidos por Menahem y aportaba soluciones filológicas nuevas para los significados de algunas palabras bíblicas comparándolas con sus equivalentes en otras lenguas semíticas como el árabe o el arameo, una perspectiva demasiado atrevida para un purista de la lengua hebrea como Menahem ben Saruq. La polémica que surgió entre ambos auto-*

Hasdai ibn Saprut

El científico judío más destacado durante este período fue Hasdai ibn Saprut, que ocupó altos cargos en la corte califal de Abderramán III, entre ellos el de médico, y cuya labor fundamental para la historia de la ciencia fue su colaboración, junto con el monje cristiano Nicolás y el sabio musulmán Arib ibn Said, en la traducción del griego al árabe de la *Materia médica* de Dioscórides. No era la primera vez que se traducía esta obra, pues existía una versión anterior realizada en Bagdad por el monje griego Esteban y el célebre traductor Hunain ibn Ishaq, pero era muy imperfecta, debido a que muchos nombres de plantas habían quedado sin traducir.

res fue continuada posteriormente por los discípulos de uno y otro que siguieron escribiendo obras filológicas en las que se debatían cuestiones puramente lingüísticas, aunque encerraban asuntos teológicos de importancia para la práctica de la religión judía.

El verdadero desarrollo de la lingüística hebrea tuvo lugar en el siglo XI cuando los gramáticos judíos andalusíes emprendieron la tarea de elaborar de manera sistemática la gramática hebrea, distinguiendo las diversas categorías lingüísticas, las conjugaciones verbales, las estructuras sintácticas, los recursos estilísticos y otras características gramaticales. Una de las aportaciones más significativas fue la de Yehudá Hayyuj que elaboró la teoría de que todas las palabras hebreas poseen una raíz de tres consonantes, lo que permitió agrupar dentro de una misma raíz palabras que hasta ese momento no tenían ninguna relación de significado y contribuyó enormemente a dotar de sentido muchos versículos bíblicos que hasta entonces no se entendían correctamente.

La actividad filológica continuó posteriormente con Yona ibn Yanah, que dio un fuerte impulso a la filología comparada, utilizando el árabe, el hebreo rabínico y el arameo para ayudar a entender el hebreo bíblico. Es uno de los autores que más énfasis puso en explicar los recursos estilísticos de la Biblia, *señalando metáforas, comparaciones, hipérboles, repeticiones y otros elementos retóricos. Más tarde, Abraham ibn Ezra utilizará todas las teorías filológicas de sus antecesores para deducir el significado literal del texto bíblico y poder fundamentar en él el pensamiento filosófico y científico de su época.*

Página de un tratado sobre hierbas escrito en hebreo por un judío italiano del siglo XV. París, Biblioteca Nacional, ms. hebr. 1199, fol. 45r.

laobesidaddesanchoI,reydeleón

Sancho I, rey de León, a quien llamaban el craso *debido a su obesidad, sufría de este grave problema, que le impedía incluso montar a caballo y le obligaba, en muchas ocasiones, a tener que apoyarse en alguien para poder caminar. Debido a esta situación, los nobles se burlaban de él y, pensando que su enorme peso le afectaba las capacidades de raciocinio, decidieron deponerle del trono. Tras una conspiración, en la que se vio implicado el ejército, en el año 958, los nobles, liderados por Fernán González, lo echaron del reino y pusieron en su lugar a Ordoño IV. Sancho huyó entonces a Pamplona donde vivía su abuela, la reina Toda de Navarra. Esta era una mujer ambiciosa y puso todo su empeño en lograr que su nieto recuperara el trono de León; para ello buscó la ayuda militar del califa de Córdoba, estrategia muy utilizada por los cristianos a lo largo de la Edad Media cuando se enfrentaban entre sí, pero además necesitaba curar el problema de obesidad del depuesto rey, por lo que la reina recurrió al prestigioso médico cordobés, Hasdai ibn Saprut.*

El califa accedió a conceder ambas peticiones con una condición: que el rey de León y la reina de Navarra viajaran hasta su palacio en Córdoba y se arrodillaran ante él suplicando su ayuda. Así lo hicieron. Hasdai ibn Saprut curó la obesidad de Sancho I con unos brebajes a base de hierbas y además le aconsejó intenso ejercicio físico. Por su parte, el rey leonés contó con el ejército musulmán para recuperar el trono. Hasdai como recompensa consiguió la cesión de diez fortalezas.

La importancia del texto traducido por Hasdai ibn Saprut es que gracias a él se identificaron muchos nombres de plantas útiles en medicina desconocidos hasta entonces. Además, esta labor conjunta de un cristiano, un judío y un musulmán ejemplifica el procedimiento de traducción más habitual durante la Edad Media: la cooperación entre científicos de las tres religiones en el trasvase de conocimientos de una lengua a otra.

La fama de Hasdai ibn Saprut como médico se extendió rápidamente por toda la península y llegó a oídos del rey de León, Sancho I, quien debido a su problema de obesidad, perdió el trono y se vio obligado a solicitar apoyo militar al califa de Córdoba para recuperarlo. Gracias también a la ayuda del médico judío de Córdoba, el rey leonés pudo curar su enfermedad y Hasdai ibn Saprut adquirió la posesión de algunas tierras como pago a su trabajo. Este hecho demuestra cómo la medicina fue utilizada en la Edad Media como elemento de poder. El prestigio del cortesano judío como médico, que llevó al rey cristiano a solicitar su intervención, le sirvió a Abderramán III para mostrar a sus máximos rivales, los cristianos, el poder del califato. Por otra parte, los conocimientos de la ciencia médica facilitaron a Hasdai el camino para adquirir un puesto importante en la corte del califa y conseguir un nivel social considerable gracias a las compensaciones que recibió por sus éxitos en la práctica de la medicina.

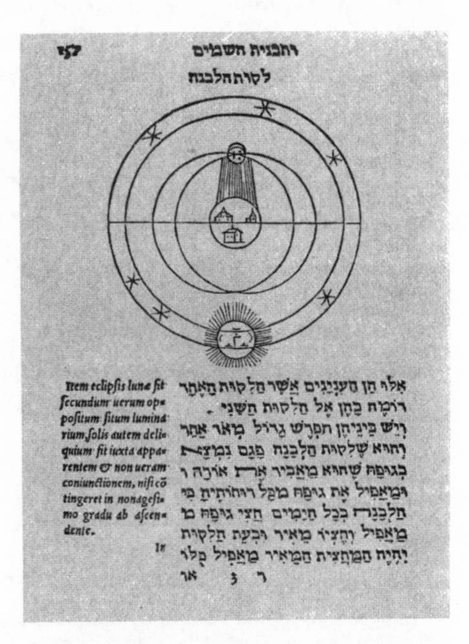

Eclipse de Luna en la obra *La forma de la Tierra* de Abraham bar Hiyya. Fue traducida al latín por Sebastian Munster, que añadió notas sobre las palabras hebreas más difíciles. Fue impresa por Henricus Petrus en Basilea en 1546.

Hasdai ibn Saprut también destacó como impulsor de la filología como ciencia básica para la interpretación de la *Biblia*. Bajo su patrocinio surgieron en Córdoba en el siglo X filólogos que elaboraron tratados lexicográficos y gramaticales en los que analizaban la lengua bíblica siguiendo los principios lingüísticos heredados de los musulmanes y ponían así los cimientos de la ciencia filológica hebrea que se fue desarrollando a lo largo de los siglos venideros.

Los reinos de taifas

Con la disgregación del califato de Córdoba en diferentes reinos de taifas que se produjo en la primera mitad del siglo XI, la actividad científica de los judíos no disminuyó. Al contrario, en una época en la que los enfrentamientos y rivalidades entre los distintos reinos musulmanes eran tan frecuentes, y cuando tan importantes eran las manifestaciones de dominio de unos sobre otros, médicos, astrónomos y astrólogos judíos trabajaban al servicio de los reyes de taifas y contribuían así al prestigio de sus respectivos protectores, demostrando nuevamente que la ciencia era un elemento de poder que favorecía la imagen de los reinos en los que se fomentaba.

En la taifa de Zaragoza, gobernada por los Banu Hud, se formaron los dos científicos judíos más importantes de este período: Moisés Sefardí y Abraham bar Hiyya, aunque desarrollaron su actividad científica en territorio cristiano.

abrahambarhiyya

Abraham bar Hiyya desarrolló su actividad científica en Barcelona entre 1134 y 1145, en tiempos del conde Ramón Berenguer IV. Trabajó en la corte de Alfonso I de Aragón como astrónomo y matemático, colaborando en las tareas de división de territorios de los condes de Barcelona.

Es uno de los primeros autores judíos que escribió sus obras de ciencia en hebreo y así contribuyó a dotar a esta lengua de categoría científica en el mundo medieval, que hasta este momento había estado dominado por el uso del árabe. Su tratado Fundamentos del entendimiento y torre de la fe *es una especie de introducción, con carácter enciclopédico, a la ciencia de la época. De esta obra desgraciadamente sólo se conservan algunos fragmentos: la introducción, en la que explica el carácter general de la obra, y la primera parte, dedicada a la aritmética, la geometría y la óptica. Es importante destacar que su mentalidad científica está íntimamente relacionada con su perspectiva religiosa: para él las ciencias naturales, las matemáticas, la geometría o la astronomía, son los fundamentos sobre los que descansa la "torre de la fe" a la que hace referencia el título, porque la verdadera ciencia es aquella que lleva al conocimiento de Dios, es decir, la ciencia es la base de la religión.*

Su Tratado de la geometría y la medición *es una obra de agrimensura en la que se exponen ideas sobre cómo hacer distintos tipos de mediciones, sobre todo de terrenos. Destaca la particularidad de que se evita medir con ángulos (excepto el recto) y en cambio se recomienda la medición por lados. También escribió un tratado sobre el calendario judío titulado* Libro de la intercalación del calendario *y tres obras astro-*

Moisés Sefardí, que se convirtió al cristianismo y tomó el nombre de Pedro Alfonso, es conocido por ser el autor de una obra literaria titulada *Disciplina clericalis*. Fue médico del rey Alfonso I de Aragón y hacia 1110 marchó a Inglaterra donde ejerció la medicina al servicio de Enrique I. En una carta enviada a unos filósofos de Francia, Moisés Sefardí destaca la importancia que tiene la astrología para la salud del ser humano y explica que es preciso consultar las estrellas para determinar cual es el momento más adecuado para administrar una determinada terapia. Así lo plantea:

> *Gracias a la astrología se fijan las épocas más apropiadas para cauterizar, sajar, perforar abscesos, dónde es preciso aplicar sangrías y ventosas,*

nómicas: La forma de la Tierra, *que es una cosmografía de carácter descriptivo con indicaciones de astronomía y abundantes explicaciones matemáticas,* Cálculo de los movimientos de los astros *y* Tablas astronómicas.

ספר
צורת הארץ
שמים וארץ
פה קק אופי באך

Página principal de la obra *La forma de la Tierra* de Abraham bar Hiyya. Offenbach, 1720. Jerusalén, Jewish National and University Library.

En su obra exegética, Libro revelador, *relaciona la astrología con la interpretación de la* Biblia *y destaca la importancia de conocer los movimientos de los astros para poder predecir acontecimientos tan importantes para la historia de los judíos como la llegada del mesías. Como rabino de la comunidad judía de Barcelona, afirma que utilizó sus conocimientos astrológicos para determinar los días más adecuados para celebrar algunas bodas. Esto le llevó al enfrentamiento con otras autoridades judías que consideraban la práctica de la astrología una forma de idolatría.*

Abraham bar Hiyya no fue un innovador científico, pero sí uno de los más grandes transmisores de la ciencia en Europa tanto para los judíos como para los cristianos. Influyó en científicos judíos como Maimónides o Abraham ibn Ezra, y cristianos, como Leonardo Pisano, Pico della Mirandola, Münster y Reuchlin.

dar pociones, así como los días y las horas de las crisis de las fiebres, y se hacen otras muchas cosas útiles relativas a la medicina, que sólo pueden conocerse por medio de la astrología.

Esta va a ser una de las ideas que más controversias e inquietudes despertaron entre los judíos medievales, aunque autores prestigiosos como Abraham ibn Ezra o Zacuto no tuvieron inconveniente en admitirla y defenderla en sus escritos.

La astronomía y la astrología recibieron un enorme impulso en el judaísmo medieval gracias a la labor de Abraham bar Hiyya. Estas ciencias eran también, como la medicina, herederas de la tradición griega, uno de cuyos autores más significativos fue Claudio Tolomeo (siglo II d.C.). Sus teorías llegaron a la península a través de las versiones al árabe, especialmente de su obra fundamental de astronomía, que se tradujo con el título de *Almagesto*. En ella el sabio griego explicó los principios fundamentales de la constitución del cosmos, que estuvieron vigentes durante todo el medievo hasta la época de Copérnico.

Según la cosmología medieval, la Tierra está inmóvil en el centro del Universo y alrededor de ella giran los siete planetas –Luna, Mercurio, Venus, Sol, Marte, Júpiter y Saturno–, cada uno en su propia esfera y en este orden. Por encima de ellos se encuentra la esfera de las estrellas fijas que se mueve también alrededor de la Tierra pero, a diferencia de los planetas, su movimiento es constante. Estas estrellas forman las constelaciones, entre las que destacan los doce signos del zodíaco por sus aplicaciones astrológicas.

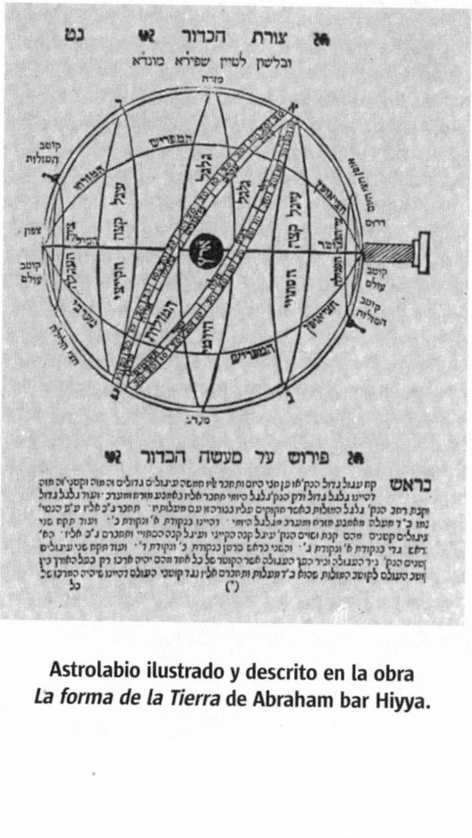

Astrolabio ilustrado y descrito en la obra *La forma de la Tierra* de Abraham bar Hiyya.

Los astrónomos griegos se dieron cuenta de que el tiempo que cada planeta empleaba en hacer un recorrido completo alrededor de la Tierra era muy variable. El Sol emplea un año en hacer ese trayecto en un círculo que llamamos *eclíptica* y que varía con respecto al ecuador celeste. La Luna, en cambio, necesita sólo de un mes. Los demás planetas también hacen el mismo recorrido pero hay variaciones entre ellos en la velocidad y en el tiempo que emplean; por ejemplo, Marte tarda 22 meses, y Mercurio y Venus andan cercanos al recorrido del Sol. Lo más complejo para ellos fue determinar el movimiento de cada uno de los planetas y tratar de encontrar una uniformidad y una constante en el mismo. El éxito de las teorías de Tolomeo se debía fundamentalmente a su modelo excéntrico, que explicaba que las órbitas de los planetas no tienen a la Tierra como centro de su circunferencia, aunque se muevan alrededor de ella, por eso parece que sus movimientos no son uniformes y que unas veces van más deprisa y otras más despacio. Lo que el sabio griego pretendía era reducir los complejos movimientos de los planetas a los modelos matemáticos más simples.

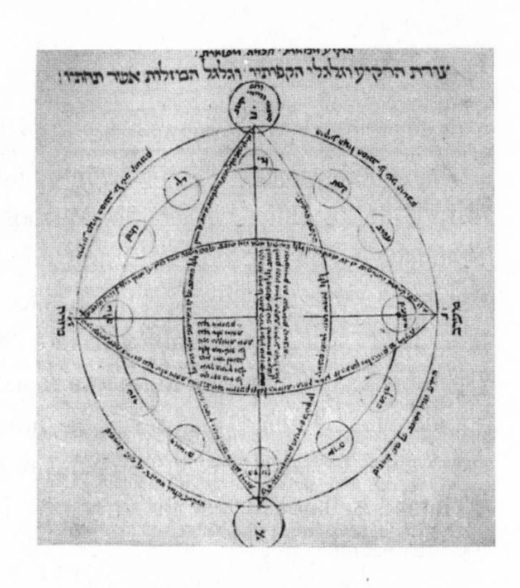

Esfera celeste de la obra *Masal ha-Qadmoní* de Sahula. Alemania, alrededor de 1450. Oxford, Biblioteca Bodleiana, Ms. Opp. 154 fol. 52v.

En la Edad Media se creía que los cambios en los movimientos de los astros celestes eran los que determinaban las transformaciones de los seres terrenales y por esta razón, la astrología, que se ocupaba de analizar estas influencias, iba íntimamente unida a la astronomía.

Estas ideas marcaron el pensamiento de los científicos judíos sefardíes, pero su interés por la ciencia de los astros, como también lo fue para los musulmanes, tenía fundamentalmente una motivación religiosa: conocer los movimientos de los cuerpos celestes en el Universo era necesario para establecer el calendario y fijar los días de fiestas y se convertía en la manera más eficaz para cumplir rigurosamente las normas que la religión exigía. Pero además, los conocimientos astronómicos y cosmológicos servían a los intelectuales judíos preocupados por encontrar el verdadero significado de la *Biblia* para dar un sentido racional a numerosos pasajes de difícil interpretación y, sobre todo, a los que tratan sobre la creación del mundo. Así, por ejemplo, la referencia en el texto del Génesis a la existencia de un cielo, mencionado en la creación del primer día, y un firmamento, creado el segundo, llevó a algunos autores judíos a considerar la existencia de dos niveles en el cosmos: el mundo superior eterno, perfecto e inmutable, que es el lugar de los ángeles, y el mundo inferior material, perecedero, imperfecto y sujeto a cambio constante. Estas observaciones, que tanto recuerdan al pensamiento de Platón, ponen de relieve el afán de los científicos judíos por encontrar conexiones entre el texto bíblico y la filosofía griega. Como se verá más adelante, Abraham ibn Ezra fue uno de los pensadores judíos que más importancia dio a la ciencia como instrumento para explicar la *Biblia*.

En la España cristiana

La llegada de los almohades hacia mediados del siglo XII a la península, con su política de intolerancia hacia la población no musulmana, supuso un cambio importante en la historia de los judíos de Sefarad. Muchos de ellos decidieron abandonar sus tierras en al-Ándalus y emigrar a otros lugares donde la vida fuera más tranquila, especialmente en territorio cristiano. De esta manera, el foco científico y cultural judío va a traspasar las fronteras de la España musulmana y se va a desarrollar a partir de entonces sobre todo en la España cristiana, fundamentalmente gracias al impulso de sus reyes, que recibieron con agrado a los científicos judíos y les permitieron ocupar puestos importantes en sus cortes, como antes lo habían hecho los califas musulmanes. Las ciencias árabes van a conseguir así difundirse por el occidente europeo, tanto en la sociedad cristiana, como en las comunidades judías.

No fue, sin embargo, este el caso de Maimónides. Nacido en Córdoba y formado en el ambiente cultural de la España musulmana, emigró al norte de África coincidiendo con la llegada de los almohades y acabó ocupando el cargo de médico en la corte del sultán de Egipto. Su vida, pues, transcurrió en ambientes musulmanes y el árabe y el judeo-árabe fueron las lenguas en las que expresó su pensamiento científico. No obstante, reservó el hebreo para tratar cuestiones relativas exclusivamente a la ley judía.

A partir de dicha emigración las obras científicas de autores judíos se escriben en hebreo, aunque no se abandona totalmente el árabe. La lengua santa para los judíos se convierte así en lengua científica y deja de servir únicamente para expresar ideas religiosas. Pero también hubo autores judíos que elaboraron sus tratados directamente en latín o participaron junto con cristianos en las traducciones a esta lengua. Otros prefirieron el castellano o el catalán para trasmitir sus ideas y algunas de sus obras fueron traducidas poco después al latín por autores cristianos con el objetivo de ser difundidas al otro lado de los Pirineos. La mayor parte de la producción científica de esta época se centra en cuestiones de astronomía, aunque no dejan de escribirse también tratados de medicina.

Debido a este auge de la ciencia en la España cristiana, muchos intelectuales europeos vinieron a la península deseosos de aprender los conocimientos de sus homólogos hispanos: Sefarad se convirtió en foco de atracción. Pero también hubo científicos judíos sefardíes que cruzaron la frontera del norte y con su equipaje intelectual llevaron la ciencia a varios países europeos. Este es el caso de Abraham ibn Ezra, que durante su estancia en Italia, Francia e Inglaterra escribió obras de astronomía y astrología y destacó especialmente por la aplicación de estas disciplinas a la interpretación de la *Biblia*. Importante fue también su labor como traductor de tratados científicos del árabe al hebreo, entre los

las tablas astronómicas

Las tablas astronómicas tenían como objetivo principal establecer las posiciones de los planetas y otros cuerpos celestes en un determinado momento temporal. Para ello se establecía un determinado meridiano desde el que se realizaban las mediciones y se fijaba un año radix *que servía como referencia. También podían contener los cálculos de los movimientos de los astros para intervalos más largos de tiempo; en estos casos se determinaba el período cíclico que servía de marco a las tablas en períodos de 20 años, conforme al ciclo del Sol, de 30, según los años lunares, o en plazos más largos. Algunas tablas contenían otros datos, como el tiempo y duración de los eclipses o diversas efemérides astronómicas que podían interesar a los marineros. También se incluían en algunas de ellas catálogos con los nombres y posiciones de las estrellas.*

Los autores de tablas astronómicas elaboradas en época medieval siguen el modelo establecido por Tolomeo, pero corrigen muchos de los datos que aportó el sabio griego, ayudados precisamente por la mayor calidad de los instrumentos utilizados y las mejoras en la técnica de las observaciones.

En el caso de las Tablas alfonsinas, *los autores judíos insisten en los cambios que han tenido que realizar con respecto a las tablas astronómicas entonces en vigencia en los reinos castellanos, que eran las de Azarquiel, compuestas casi doscientos años antes. También indican que el rey castellano mandó construir instrumentos astronómicos, como armillas y astrolabios, basándose en las instrucciones que el sabio Tolomeo incluyó en el* Almagesto. *Así los expresan sus autores:*

Dijeron Yehudá ben Moisés e Isaac ben Sayid: cuando nos encontramos ahora en la primera decena del cuarto centenario del segundo milenio de la era del César, ha aparecido en este tiempo el reinado, que goza de la fortuna y la ayuda de Dios, del muy alto y noble señor el Rey don Alfonso, que Dios le mantenga. Y debido a que le gustaban los saberes y los apreciaba, mandó construir los instrumentos de los que habló Tolomeo en su libro del Almagesto, *como las armillas y otros. Y nos mandó hacer las rectificaciones en la ciudad de Toledo, que es una de las principales de España, que Dios la guarde. Y obedecimos su mandato y volvimos a hacer los instrumentos lo mejor que pudimos y* trabajamos *para rectificar las medidas del tiempo... También rectificamos algunas conjunciones de los planetas cuando se juntaban unos con otros o con las estrellas fijas y muchos eclipses, tanto del Sol como de la Luna... Y una vez que lo examinamos todo, dejamos por averigüado lo que es cierto o está próximo a serlo e hizimos estas tablas sobre raíces basándonos en aquellas rectificaciones... Y pusimos a este libro el título de* Libro de las tablas alfonsinas, *porque fue hecho y compilado bajo su mandato.*

que destaca su traducción de *El comentario de al-Mutanna a las tablas astronómicas de al-Juarizmi* (cuyo nombre también se suele escribir como al-Jwarizmi o al-Khwarizmi). Las obras de Ibn Ezra tuvieron una gran difusión en Europa, pues fueron traducidas muy pronto al latín, al catalán, al francés y al inglés.

Uno de los científicos judíos más relevantes de la primera mitad del siglo XII fue Avendaut, llamado también Johannes Hispanus o Hispalensis, que ejerció su actividad como astrónomo y traductor en la ciudad de Toledo. Su personalidad es muy discutida porque no se sabe si era una sola persona o un conjunto de sabios agrupados bajo su nombre. Su labor científica más significativa fueron las traducciones al latín, con ayuda

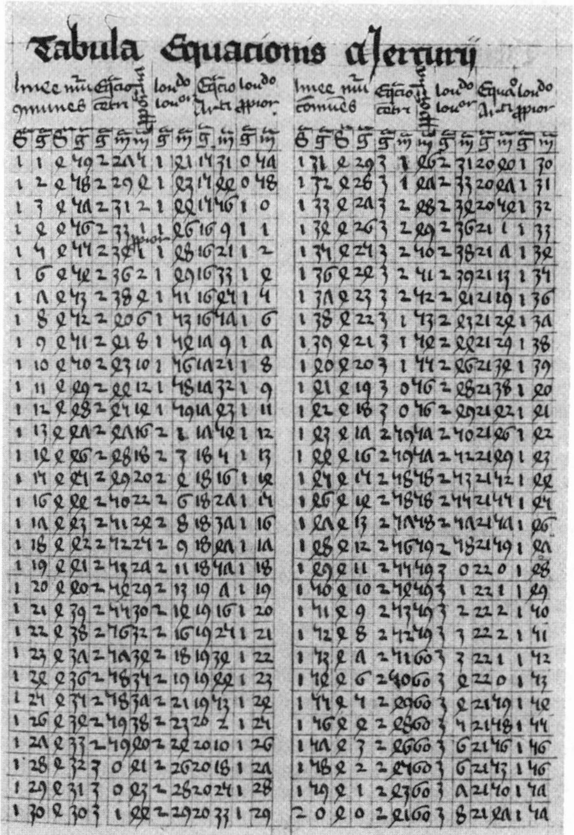

Tablas alfonsinas. **Una página de la tabla de Mercurio.**
En torno a 1425. Biblioteca Houghton,
Universidad de Harvard. Ms. Typ 43, fol. 46r.

de un intelectual cristiano, de múltiples obras de filosofía, astrología y astronomía escritas por los grandes autores árabes, como Masallah, al-Fargani, Albumasar, al-Batani, Abenragel o Maslama. Una de sus traducciones más importantes fue el *Liber algorismi de practica arismetrice*, en el que se indica la importancia del cero y se explica cómo extraer raíces cuadradas mediante fracciones decimales sin valerse de notación decimal. Esta obra contribuyó en la introducción de las matemáticas árabes en el mundo occidental y en la difusión de la palabra *algoritmo*, que en el medievo designaba lo que hoy conocemos como aritmética.

Científicos judíos en la corte de Alfonso X *el sabio*

La corte castellana de Alfonso X *el sabio* es probablemente el ejemplo más significativo del esplendor de la ciencia en la España cristiana medieval. Al servicio del rey castellano destacaron dos científicos judíos, Isaac ben Sayid y Yehudá ben Moisés, cuya tarea principal fue la de elaborar unas tablas astronómicas que serían conocidas con el nombre de *Tablas alfonsinas*. Fueron compuestas para el meridiano de Toledo y el año *radix* 1252. Isaac ben Sayid era el experto en el uso de los instrumentos de observación astronómica y Yehudá ben Moisés, que era el astrónomo de la biblioteca del palacio, fue el encargado de todas las cuestiones bibliográficas. Estas tablas adquirieron una enorme popularidad, fueron utilizadas probablemente por Galileo y Kepler, y estuvieron vigentes casi cuatro siglos hasta que en 1627 este último las superó con sus *Tablas rudolfinas*. De las *Tablas alfonsinas* solamente se han conservado la introducción y los cánones en un único manuscrito. Parece ser que una copia de este con las propias tablas numéricas se conservaba todavía en el siglo XV pues de ella nos da información el historiador judío Yosef ben Sadiq de Arévalo:

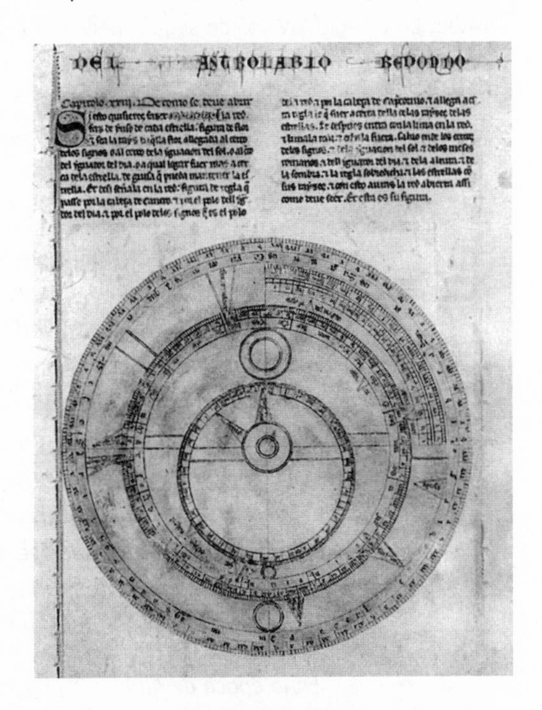
DEL ASTROLABIO REDONDO

***Libros del saber de astronomía* de Alfonso X *el sabio*. Siglo XIII. Biblioteca de la Universidad Complutense. Ms. 156, fol. 54.**

Además estaban copiadas en dicho libro las tablas que sobre la ciencia astronómica compuso dicho rey. Mis propios ojos han visto este códice, importante y magnífico, todo él escrito con letras de oro puro. Afirmo que quien no ha visto este códice, no ha visto en su vida nada más adornado ni más precioso.

Isaac ben Sayid y Yehudá ben Moisés también colaboraron en la traducción de numerosas obras científicas en la conocida como Escuela de Traductores de Toledo. No se trataba de una escuela en sentido estricto, sino que este título denominaba un tipo de academia o centro de investigación donde científicos judíos, cristianos y musulmanes trabajaban en común, con unos mismos métodos y unas mismas directrices, traduciendo obras de filosofía, astronomía, medicina y otras disciplinas al latín o al romance. Además, esta denominación no solamente se refiere a Toledo sino a los diversos centros de esta clase que existieron en otros lugares de la península Ibérica, como por ejemplo León, Pamplona, Tudela y Barcelona.

La muerte de Alfonso X no significó el final de la actividad científica en la corona de Castilla. En el siglo XIV Toledo seguía siendo el centro científico y cultural más importante de la península y en él destacaron algunos autores judíos como Isaac Israelí, cuya extensa obra sobre astronomía tuvo una enorme influencia en Europa en círculos cristianos dos siglos después. En su tratado titulado *Fundamento del mundo*, escrito en 1310, explica las teorías sobre

laescuelade traductoresdetoledo

Desde mediados del siglo XII la ciudad de Toledo destacó como centro cultural en el que judíos, musulmanes y cristianos se esforzaron por desarrollar las ciencias y las letras y trasmitirlas al mundo occidental. Gracias a la labor de mecenazgo del arzobispo Raimundo, intelectuales de las tres religiones se concentraron en esta ciudad para llevar a cabo la labor de traducir obras filosóficas del árabe al latín. Fue así como surgió la que sería posteriormente conocida como Escuela de Traductores de Toledo y en ella destacaron, en su primera etapa, traductores de reconocido prestigio como Adelardo de Bath o Gerardo de Cremona y el judío Avendaut. Gracias a ellos el mundo occidental conoció las teorías neoplatónicas de Avicena, el pensamiento aristotélico de al-Farabi, el sufismo de al-Gazali o la filosofía de Ibn Gabirol.

En la época de Alfonso X el sabio, *la Escuela de Traductores alcanzó su máximo esplendor. Si hasta ese momento la lengua a la que se vertían las obras era el latín, a partir de entonces se utilizó el romance. En esta etapa* el curso del Sol y la Luna, y se centra en los problemas de la fijación del calendario judío. Otro de los científicos judíos del círculo toledano fue Yehudá ben Aser, hijo del rabino más importante de Toledo, que escribió unas *Leyes del cielo* que serían muy apreciadas en los siglos siguientes. Se trataba de unas tablas astronómicas, elaboradas con una gran precisión, que sirvieron de base a las del astrónomo salmantino Abraham Zacuto. También en este siglo vivió en la ciudad la familia Ibn Waqqar, que, a pesar de ser judíos y vivir en tierras castellanas, escribieron tratados de medicina y astronomía en árabe.

La corte de Pedro *el ceremonioso*

El rey Pedro IV de Aragón, conocido como *el ceremonioso,* quiso durante su reinado (1336-1387) imitar al rey castellano en su apoyo a la ciencia y, aunque no consiguió alcanzar las cotas de nivel de la corte de Toledo, tuvo un notable éxito: fue probablemente el momento de mayor esplendor de la ciencia en la corona de Aragón a lo largo de toda la Edad Media.

En una de las obras escritas durante su reinado, el propio monarca afirmaba que se sentía inclinado por naturaleza "a amar, buscar e investigar las ciencias y, en especial, la de los astros", pero las campañas militares, a las que había dedicado tanto tiempo, le habían impedido colmar sus inquietudes científicas. También explicaba que los datos sobre los

destacan sobre todo las traducciones de obras de astrología y astronomía; la filosofía deja prácticamente de tener interés.

Entre los judíos que trabajaron como traductores en la época alfonsí podemos destacar, además de a Isaac ben Sayid y Yehudá ben Moisés, a Abraham Alfaquí, conocido también con el nombre de Abraham de Toledo. Las obras que tradujo se caracterizan por un extremado literalismo y entre ellas podemos destacar un tratado de tipo exegético sobre el viaje de Mahoma que aparece en la azora 17 del Corán *y el* Libro de la azafea *de Azarquiel, un manual sobre el uso de este instrumento para medir las posiciones de los astros. Samuel ha-Leví Abulafia, otro de los traductores judíos de la época alfonsina, se dedicó sobre todo a las matemáticas y compuso además algunas obras propias como el* Libro del relogio de la candela, *uno de los cinco tratados conocidos en la época sobre la construcción de relojes. Con su labor de traducción y composición estos autores dieron un fuerte impulso a la lengua romance como lengua científica en el mundo medieval.*

movimientos de los astros de los antiguos habían quedado desfasados y eran necesarias nuevas mediciones, para lo que requería la participación de "hombres preparados que cumplan nuestra voluntad y encuentren la verdad en las consideraciones antes mencionadas". Entre estos, el monarca recurrió a los judíos, que fueron sus colaboradores científicos no sólo en astronomía, sino también en medicina y en las ciencias ocultas, pues Pedro *el ceremonioso* creía en el poder de la alquimia y de la nigromancia.

Judíos mallorquines trabajaron en la corte del rey aragonés fabricando relojes, astrolabios, cuadrantes, compases y otros instrumentos. También en Mallorca vivieron expertos dibujantes de cartas de navegación y mapamundis, entre los que podemos destacar a los judíos Abraham Cresques y su hijo Jafuda Cresques, autores de uno de los mapas más famosos de la época, el conocido como *mapamundi de 1375* y que fue encargado por el rey Pedro IV porque era muy aficionado a los mapas. Estos autores no eran científicos en sentido estricto, ni astrónomos, ni geógrafos, pero sin lugar a dudas eran unos excelentes dibujantes y por eso fueron elegidos por el monarca para llevar a cabo esta tarea.

En la ciudad condal, donde se encontraba la rica biblioteca real y los instrumentos astronómicos de gran tamaño, se elaboraron por mandato del monarca las *Tablas de Barcelona*, en las que cooperaron cristianos y judíos. Con ellas el rey pretendía corregir las deficiencias y errores de las tablas de Azarquiel y de Alfonso X y para ello pidió ayuda a Jacob Corsino, que además trabajó a su servicio como astrólogo, traductor e intérprete. Este judío elaboró las tablas basando sus cálculos en el meridiano de Barcelona y tomando el 1320, año del nacimiento del rey Pedro IV, como año *radix*. También tuvo en cuenta las observaciones astronómicas hechas por Pedro Gilbert y Dalmacio Planes.

En medicina destacó León Judá Mosconi, llamado León *el griego* por su procedencia. Lo único que sabemos de él es que poseía una enorme biblioteca científica formada en su totalidad por libros en hebreo, entre los que destacaban obras de Abraham bar Hiyya y Abraham ibn Ezra. Cuando murió, en 1375, todos sus libros fueron inventariados y, dos años después, subastados. El rey tenía tanto interés en esta biblioteca que, cuando se enteró de la subasta, se interesó por conseguir todas las obras, incluso las que ya se habían vendido, donado o prestado.

La famosa peste negra de 1347-1351 dio lugar a tratados de medicina en los que se estudiaba esta enfermedad escritos, o traducidos del árabe, por judíos. Uno de ellos, titulado *El tratado sobre la fiebre de la peste*, está compuesto en forma de diálogo entre el autor, del cual no se conoce el nombre, y un amigo que le pregunta sobre la procedencia de la enfermedad y cual es el tratamiento más adecuado. La gran obra sobre la epidemia, *Un pozo para el vivo*, fue escrita a finales del siglo XIV por Isaac ben Todrós en Aviñón y en ella

Dos escenas en la botica de un judío.
Cantigas de Santa María **de Alfonso X** ***el sabio.*** **Castilla, siglo XIII.**
Biblioteca de El Escorial, cant. 108, fol. 119.

el autor critica las opiniones de médicos cristianos sobre esta enfermedad y en cambio incorpora, sin hacer juicios de valor, muchas opiniones de autores musulmanes.

A pesar de la prohibición papal de que médicos judíos trataran a pacientes cristianos, hubo por entonces numerosos médicos al servicio de los reyes. El ejemplo más famoso es el del Cresques Abnarrabí, judío leridano que, después de estudiar en Zaragoza, se hizo médico y volvió a su ciudad natal para ejercer su profesión. Como se ha indicado al comienzo de la introducción, es conocida la anécdota de su operación de los ojos al rey Juan II de Aragón.

El final del esplendor científico de Sefarad

Quizá la personalidad científica judía más importante de finales de la Edad Media es Abraham Zacuto, astrónomo formado en el ambiente cultural de Salamanca, que vivió los dramáticos acontecimientos que llevaron a la expulsión de los judíos en 1492. Su exilio en Portugal le brindó la oportunidad de llegar a ser científico en la corte de los monarcas de este país e influir en el viaje a la India de Vasco de Gama. A lo largo de su vida compuso obras de astronomía y astrología que fueron utilizadas por Cristóbal Colón.

elmapamundidelaño1375

El mapamundi de 1375 consta de tres partes: la primera contiene un texto sobre el cosmos y representaciones del calendario, las órbitas de los planetas, los signos del zodíaco y las mareas. La segunda parte constituye el núcleo principal de la obra y está formada por un portulano del mar Mediterráneo y sus alrededores, es decir, una carta de navegación en la que se indican los nombres de los puertos en los que, gracias a su localización por medio de la brújula, se podía atracar. La tercera parte contiene la representación de las costas de Asia y las tierras del interior. Las ciudades están colocadas de manera bastante aleatoria y en los espacios libres se añaden dibujos que representan escenas bíblicas, leyendas o tradiciones populares. Las líneas costeras aparecen muy diferenciadas, los golfos se dibujan redondos, los nombres de las ciudades más significativas se escriben en letra roja y las muy importantes se indican mediante un signo consistente en una muralla circular de la que sobresalen dos torres laterales y entre ellas una más grande en la que está colocada una bandera que señala si la ciudad es musulmana o cristiana. Las islas están pintadas de colores para que los marineros las pudieran identificar con más facilidad y algunos montes aparecen coloreados de verde para indicar que tenían bosques.

A pesar de que las mediciones no se ajustaban del todo a la realidad, este mapa era mucho más exacto que los que se conocían desde época tolemáica y ello fue posible gracias a la mayor precisión en las mediciones de la longitud y latitud geográficas. La longitud se determinaba por la diferencia temporal que mediaba entre el apogeo del Sol en dos puntos distintos; en cambio, la latitud se averiguaba midiendo la altura de la Estrella Polar en un punto determinado.

Para la zona del lejano oriente, los autores se inspiraron en los libros de viajes de Marco Polo que, entre 1271 y 1295 viajó en compañía de su padre y de su tío por el interior de Asia hasta China y permaneció varios años en la corte de Kublai Khan. Las narraciones de los viajes de Ibn Batuta sirvieron de fuente para la parte de África. También se utilizaron las obras de Homero, Herodoto, los cuentos de Las mil y una noches *y otras leyendas y narraciones.*

El principal interés de este mapa es que mezcla criterios científicos con ideas religiosas, leyendas y tradiciones escritas en catalán. La figura del anticristo aparece situada en Asia y va acompañada de la del profeta Isaías que anuncia la llegada del mesías. En esta misma parte los autores cuentan que existe un rito funerario tradicional en algunas zonas por el cual los hombres que han muerto son incinerados en una enorme pira y en algunas ocasiones sus esposas se arrojan al fuego para morir con ellos. En la zona que correspondería a la actual Afganistán, aparecen las figuras de los tres Reyes Magos, los tres de raza blanca, y sobre ellos se dice que "están enterrados en la ciudad de Colonia, a dos jornadas de Brujas". Sobre Irlanda el mapa cuenta algunas fantasías y supersticiones, como que cerca de ella "hay una isla pequeña donde los hombres nunca mueren, pues cuando son muy viejos y están a punto de morir se los llevan de allí. En ella no hay serpientes, ranas, ni arañas venenosas, ya que la tierra no da animales venenosos, puesto que ahí está la isla Laceria. Aún más, hay árboles que producen pájaros como higos maduros".

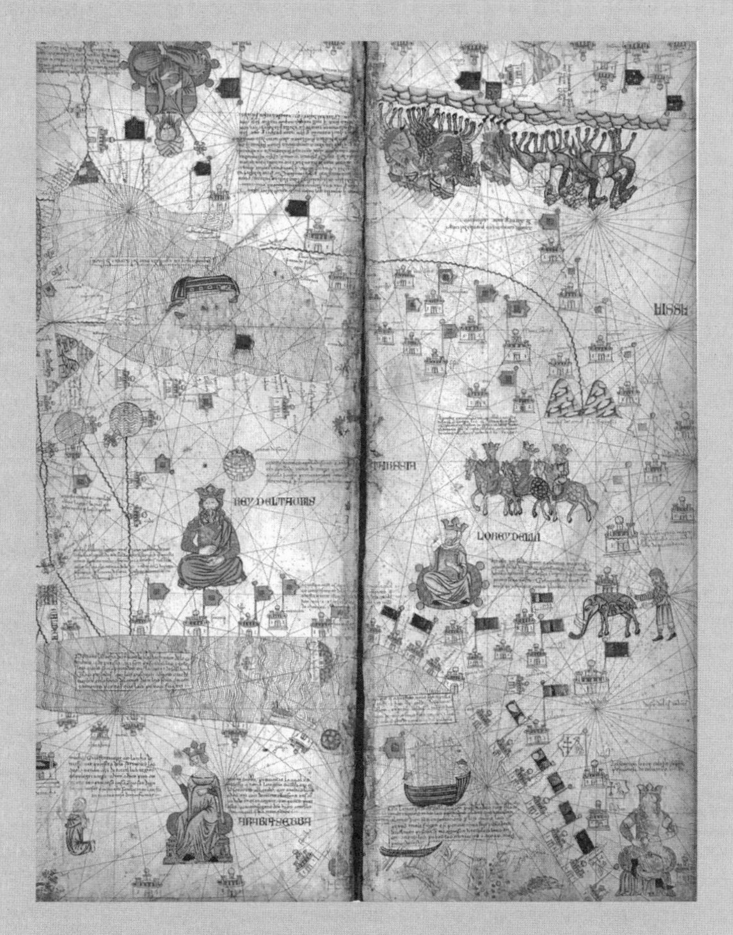

Mapamundi iluminado por Abraham Cresques y su hijo Jafuda Cresques. Siglo XIV. París, Biblioteca Nacional. Ms. esp. 30, pl. 3-4 (fragmento).

las ciencias ocultas

Además del interés que tuvieron los judíos por las grandes disciplinas científicas, también practicaron la magia y otras ciencias ocultas. En general, la magia fue normalmente aceptada por el judaísmo medieval porque, aunque pudiera considerarse una forma de idolatría, en realidad no afectaba a los fundamentos de la fe, porque carecía de una ideología sistemática que pudiera poner en peligro la religión. Además, la magia judía recurría con frecuencia a la Biblia *y al* Talmud *y apelaba siempre al poder de Dios y de los ángeles, lo cual no está alejado de la ortodoxia más estricta. La oposición que tuvo la magia en el judaísmo durante la Edad Media vino por parte de los judíos racionalistas, como Maimónides, pero no de los más tradicionales. Hubo algunos como Salomón ibn Adret, rabino catalán que vivió a finales del siglo XIII y comienzos del XIV, que no tuvieron reparo en admitir en medicina otros métodos de curación que no estaban ni en la tradición judía ni en los libros científicos, sino que utilizaban elementos de la magia.*

Las prácticas mágicas en el judaísmo eran conocidas desde la Antigüedad y existen numerosas obras en las que se habla del uso de versículos bíblicos y fórmulas tomadas de los textos sagrados para la curación de enfermedades o para adivinar el origen de estas. Por medio de sortilegios se podía enamorar a una persona, facilitar el pronto regreso de alguien que estaba ausente o tener suerte en un viaje. Si el objetivo era hacer daño a una persona no querida o a un enemigo se recurría incluso a la magia negra. En las fórmulas mágicas se utilizaban con frecuencia los nombres bíblicos de Dios y versículos tomados del libro de los Salmos y se usaban también amuletos y plantas como protección de los malos hechizos.

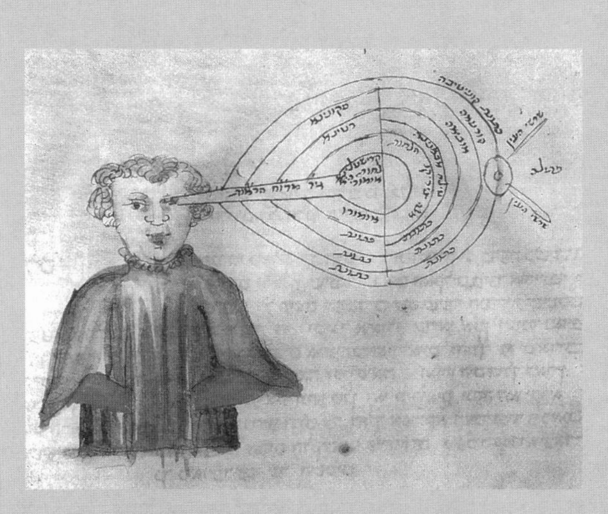

Descripción del ojo según tratados médicos de Juan de Damasco. Siglo XV. París, Biblioteca Nacional.

La magia tuvo su influencia en la mística judía, en la

Cábala, sobre todo por el poder que otorgaba a las letras del alfabeto hebreo y a sus combinaciones y permutaciones, que animaron a los cabalistas a encontrar sentidos ocultos y misteriosos en los textos bíblicos, cuyo fin último era el de conseguir la unión con la divinidad.

Una de las supersticiones más populares entre los judíos sefardíes en la Edad Media era la creencia en el mal de ojo, una especie de maleficio que una persona podía proyectar sobre otra con sólo mirarla. A veces se atribuía el origen de algunas enfermedades desconocidas o difíciles de curar a la existencia de este mal, contra el que se ponían en práctica una serie de procedimientos rituales que contrarrestaban sus efectos malignos. También practicaban algunas técnicas de adivinación como la quiromancia, o predicción del futuro de una persona interpretando las rayas de las manos, y la bibliomancia, que consistía en abrir la Biblia *al azar, leer el primer versículo que saltara a la vista y analizarlo como si indicara el futuro de una persona. La aparición en sueños de familiares, ángeles o el profeta Elías se interpretaba como un anuncio de acontecimientos futuros. El estornudo indicaba mal presagio, por lo que se respondía con bendiciones divinas para evitar la influencia de los malos espíritus.*

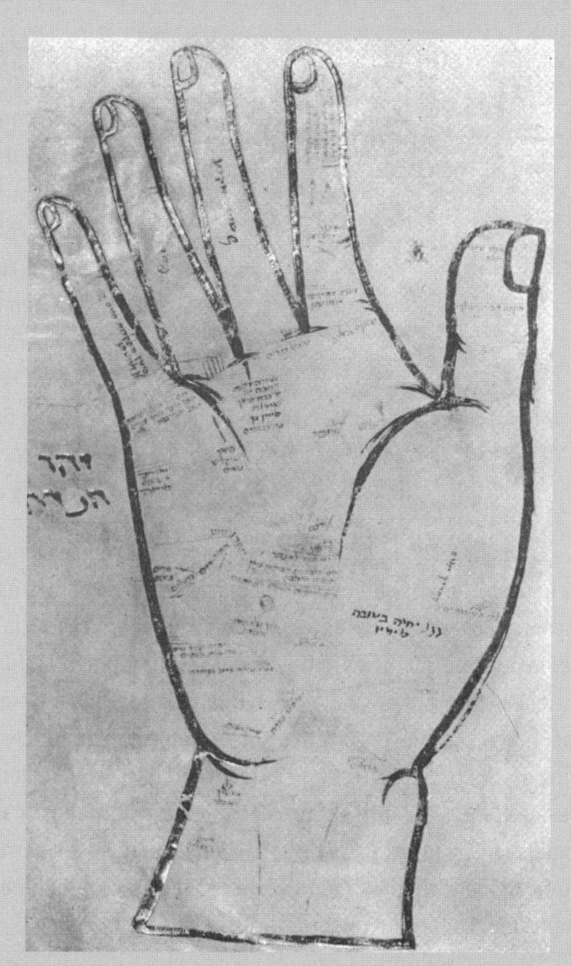

Mano, en un manuscrito francés de fines del siglo XIII, utilizada para adivinar el futuro. British Library, Ms Add. 11639, fol. 115r.

Manual de medicina de Gersón ben Ezequias, 1420. París, Biblioteca Nacional.

Tras la expulsión de los judíos de Portugal en 1497, Zacuto se instaló en Túnez y allí compuso una obra sobre los más importantes sabios y rabinos de toda la historia del judaísmo. Su último tratado de astrología está dedicado a analizar los cálculos de las posiciones de los astros que anuncian la pronta llegada del mesías.

Culmina así una etapa de intensa colaboración entre judíos, musulmanes y cristianos en el proceso de transmisión de la ciencia de la Antigüedad al mundo occidental. Tanto los califas musulmanes como los reyes cristianos supieron valorar el inmenso bagaje cultural que los intelectuales judíos llevaban consigo y no escatimaron esfuerzos para ayudarles a prosperar porque se dieron cuenta de que la ciencia que éstos podían proporcionales servía como elemento de poder y contribuía al esplendor de sus cortes y al prestigio de sus reinados.

Los científicos judíos también fueron conscientes de que sus conocimientos y su experiencia en campos como la medicina, la astronomía y la astrología les abría el camino para alcanzar las altas esferas del poder. Además, la ciencia les permitía justificar, ante los defensores de las otras religiones, que los principios fundamentales del judaísmo y las tradiciones más antiguas en las que siempre habían creído tenían sólidos fundamentos racionales. Los Reyes Católicos acabaron con este proceso en España al expulsar a los judíos en 1492, pero este trágico hecho significó que la ciencia que los judíos habían estado desarrollando durante tantos años llegaría con ellos a sus lugares de destino, y así, los expulsados, con las escasas pertenencias que se les permitió sacar, pero con un inmenso equipaje cultural en su mente, se convertirían en los mayores difusores del pensamiento científico medieval de Sefarad.

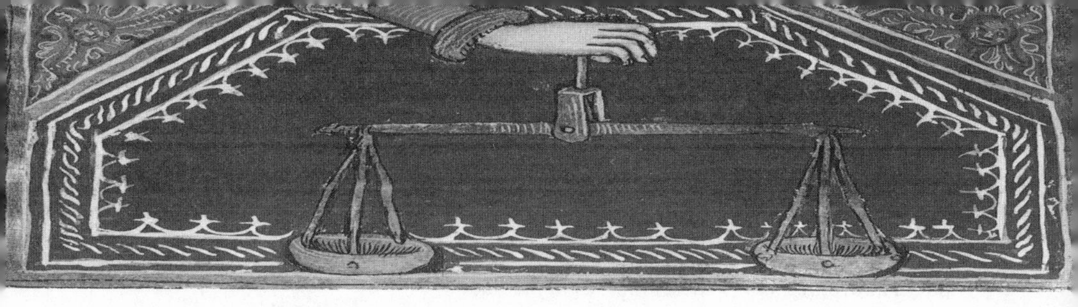

abrahamibnezra(1089–1160) lacienciaalserviciode lainterpretacióndela*biblia*

Hijo mío, sé fiel a mí. Te animo a que leas y ocupes tu inteligencia solamente en los comentarios y escritos de Abraham ibn Ezra, porque son muy buenos y útiles para todo aquel que los lee con claro raciocinio, lúcido entendimiento y fina reflexión. No son como otros escritos, pues él es espiritualmente como Abraham, nuestro padre, que la luz esté con él. Todo lo que leas de sus palabras y las alusiones que hay en ellas, medítalo con buen razonamiento y piénsalo en profundidad con inteligencia aguda y análisis lógico.

Con estas palabras se expresaba nada menos que el gran filósofo judío Maimónides, en una carta dirigida a su propio hijo, para mostrar el elogio y la admiración que sentía hacia uno de los intelectuales judíos sefardíes más internacionales de la época medieval: Abraham ibn Ezra.

Abraham ben Meir ibn Ezra nació en 1089 en Tudela (Navarra), ciudad que vio nacer también a otros ilustres intelectuales judíos como Yehudá ha-Leví y el famoso viajero Benjamín de Tudela. La comunidad judía de esta ciudad poseía un nivel cultural elevado y gozaba de la libertad y el respeto hacia su religión que habían caracterizado siempre la política de los reyes de taifas. Aquí pasó Ibn Ezra su infancia y su juventud, formándose en el estudio tanto de la cultura judía como de la cultura árabe en sus diversos campos.

Cuando las tropas cristianas al mando de Alfonso *el batallador* conquistaron Tudela en 1115, Abraham ibn Ezra ya no estaba en la ciudad, porque, siguiendo el tópico del *judío errante*, había iniciado una vida que le llevaría a recorrer distintos lugares de nuestra geografía para emprender más adelante rumbo a otros países. Se trasladó, en primer lugar, al reino de Castilla y concretamente a la ciudad de Toledo que, desde que había sido reconquistada en 1085 por Alfonso VI, era parte del territorio cristiano. Es posible que viviera en esta ciudad por algún tiempo, como muchos otros judíos que se trasladaron aquí atraídos por el apoyo que el rey castellano les había dado.

Desde Toledo, Abraham ibn Ezra pasó a las tierras musulmanas de al-Ándalus, que en esta época estaba sometida al poder de los almorávides, musulmanes de origen bereber del norte de África que vinieron en auxilio de sus correligionarios para detener el avance cristiano. La llegada de los almorávides supuso un empobrecimiento del ambiente intelectual y de la tolerancia que habían caracterizado épocas anteriores y, como consecuencia, muchos judíos decidieron emigrar a tierras cristianas del norte de la Península. Sin embargo, siguieron existiendo núcleos de intelectualidad en las comunidades judías de las principales ciudades de al-Ándalus y hacia ellos se dirigió Abraham ibn Ezra. Pasó alguna temporada en Lucena, ciudad que se había convertido en el centro de referencia para el estudio y la enseñanza del judaísmo, gracias sobre todo a la presencia de Rabí Isaac Alfasi, uno de los más importantes compiladores de interpretaciones de la ley judía en la España medieval. Desde Lucena se dirigió a Sevilla y posteriormente a Granada y Córdoba.

Abraham ibn Ezra se ganaba la vida gracias a la generosidad de sus patronos, hombres ricos de las altas esferas de la sociedad andalusí a quienes dedicaba un poema o una alabanza a cambio de su mantenimiento y apoyo, como era costumbre en tierras musulmanas. En la literatura popular, la figura de Abraham ibn Ezra siempre estuvo asociada con la imagen del hombre pobre que gracias a su inteligencia adquiere éxito y renombre y es capaz de superar situaciones difíciles.

Fue probablemente durante su larga estancia por estas tierras cuando Abraham ibn Ezra adquirió la enorme erudición que le daría luego fama y reconocimiento en los campos más diversos, gracias sobre todo a los contactos con intelectuales musulmanes y judíos de conocido renombre, entre los que podemos destacar a Yehudá ha-Leví, con quien mantuvo una estrecha relación.

Su viaje al norte de África

Hacia 1140, Ibn Ezra viajó al norte de África donde, a comienzos del siglo XII, surgió el movimiento almohade, una visión del islam que defendía la pureza de la religión musulmana por encima de todo e incitaba a convertirse. En Túnez, Abraham ibn Ezra visitó a Samuel ben Jacob Ibn Yama, miembro de una noble familia, y a él le dedicó más tarde su obra titulada *Hay ben Meqis*, un largo poema filosófico de influencia neoplatónica en el que expone, entre otras ideas, sus opiniones sobre el mundo de los ángeles.

Tal fue la decepción que Ibn Ezra sintió que decidió abandonar estas tierras y, a sus 51 años, una edad avanzada para aquella época, emprendió rumbo a Italia. En una de sus obras él mismo nos dice que el dolor que sufrió al abandonar Sefarad fue *"semejante a los de la primeriza que está a punto de dar a luz"* y en otro texto se lamenta de que tuvo que partir hacia Roma *"con el alma dolorida"*. Su afirmación de que *"la ira de los opresores me sacó de Sefarad"* apunta a que la política de intolerancia de los almohades pudo ser la causa de su partida, aunque también pudieron influir otras razones, como las dificultades económicas por las que estaba pasando en esos momentos o la posible conversión de su propio hijo Isaac al islam. No fue el único judío sefardí que abandonó su tierra por esos años: su gran amigo Yehudá ha-Leví marchó a Tierra Santa a través de Egipto al mismo tiempo en que Ibn Ezra se trasladaba a Italia.

unpoemasobrelamalasuerte

En algunos de los poemas escritos probablemente durante su estancia en tierras andalusíes, Ibn Ezra expone algunas de las ideas que serán claves en su pensamiento científico posterior, como que los avatares que le suceden al ser humano y su buena o mala suerte dependen de la influencia de los astros. Este poema es resultado de su propia experiencia:

Cuando nací las esferas y los planetas se desviaron de sus órbitas.
Si vendiera velas, el Sol no se pondría hasta el día de mi muerte.
De nada me sirve buscar el éxito porque se me han torcido los astros.
Si vendiera mortajas, la gente no se moriría.
Si pusiera mi mano en un horno, se apagaría y nadie lo podría volver a encender.
Si fuera a buscar agua al mar, se secaría, incluso aunque estuviera lloviendo.
Si vendiera armas, los enemigos harían la paz y no habría guerra.

Hasta que decidió abandonar nuestras fronteras, su producción literaria se limitó exclusivamente a la poesía, tanto religiosa como secular. Desde el punto de vista de la ciencia, esta fue una etapa de formación en la que Abraham ibn Ezra se empapó de la cultura de al-Ándalus y aprendió los conocimientos científicos que aquí se cultivaban en disciplinas como

elegíaporladestruccióndelascomunidades judíasdeal-ándalus

Durante su estancia en al-Ándalus, fue testigo del declive que sufrieron las comunidades judías como consecuencia de la intolerancia musulmana de los almohades. Impresionado por este hecho, Ibn Ezra escribió un poema en el que se lamenta de la situación de dichas comunidades.

De los cielos ha caído la desgracia sobre Sefarad
mis ojos, mis ojos derraman agua.

Mis ojos lloran, como las fuentes, por la ciudad de Lucena,
donde vivió solitaria la inocente comunidad exiliada,
sin ningún cambio durante mil setenta años.
Pero su día le llegó, su gente huyó y viuda se quedó,
sin Ley, sin Escrituras, ocultada la Misná,
abandonado el Talmud, toda su gloria perdida.
Criminales insaciables van de un lado a otro,
la casa de oración y alabanza se ha convertido en mezquita.
Por eso lloro y golpeo mis manos, mi boca llena de lamentos.
No puedo quedarme en silencio y digo: ¡que mi cabeza se convierta en agua!

Me afeitaré la cabeza y gritaré amargamente por la comunidad de Sevilla,
por sus nobles asesinados y sus hijos esclavizados,
por sus refinadas hijas, convertidas a otra religión.
Córdoba está abandonada, su desolación es como un inmenso mar.
Allí sabios y hombres ilustres perecieron de hambre y sed.
Ni un judío, ni uno, ha quedado en Jaén ni en Almería.
Ni rastro queda en Mallorca ni en Málaga.
Los judíos que escaparon fueron cruelmente golpeados.
Por eso me lamento amargamente y aprenderé a entonar una elegía.
De tanto dolor mis gemidos fluyen como el agua.

la filosofía, la gramática, la astronomía, la astrología y las matemáticas. Sin embargo, no escribió ninguna obra en la que expusiera sus ideas en estos campos y sólo fue a partir de su llegada a Italia, y durante los años siguientes en que viajó por diversas ciudades de este país, de Francia y de Inglaterra, cuando Ibn Ezra se decidió a escribir sobre estos asuntos. De alguna manera tenía que ganarse el sustento y se dio cuenta de que dar conocer la ciencia andalusí a través de sus obras y su enseñanza podía servir como medio de vida. Por otra parte, si en al-Ándalus era uno más entre los muchos intelectuales que conocían estas materias, en Italia, donde la ciencia árabe era prácticamente desconocida, él tenía una oportunidad única de destacar mostrando a sus interlocutores la riqueza cultural e intelectual de las tierras de las que procedía. Ciertamente, la obra científica de Ibn Ezra tiene más de divulgación que de creación, aunque esto no quiere decir que carezca de originalidad, pues lo verdaderamente nuevo es la manera en que sabe hacer asequible al espíritu judío europeo el clima científico de al-Ándalus al que este era totalmente ajeno.

Para enseñar la ciencia árabe a los judíos de los países que visitó, Ibn Ezra escribió obras científicas en la lengua en que estos podían entenderle: el hebreo y, en particular, el hebreo bíblico. Gracias a los textos de Ibn Ezra, esta lengua se convierte en un instrumento con un doble objetivo: por una parte, otorga a los contenidos científicos de una legitimidad única porque se expresan en la lengua santa y, por otra, el léxico bíblico, utilizado hasta entonces para expresar realidades de otros tiempos, adquiere nuevos significados e incorpora nuevos conceptos sin necesidad de recurrir a palabras nuevas. Además, en sus comentarios a la *Biblia*, Ibn Ezra utilizó las teorías científicas de su tiempo para explicar los significados del texto, consiguiendo integrar el racionalismo científico dentro del pensamiento religioso.

Ibn Ezra en Italia

Al llegar a Roma, en 1140, los judíos de la ciudad, que probablemente habían oído hablar de la riqueza cultural de Sefarad, estaban deseosos de recibir las novedades que el viajero Ibn Ezra les traía de otras tierras y lo recibieron con los brazos abiertos. Desde el primer momento, los intelectuales de la comunidad judía romana, hartos probablemente de escuchar siempre las mismas explicaciones del texto bíblico y las mismas interpretaciones de la ley judía, se van a convertir en sus más fieles discípulos. Ibn Ezra comienza entonces por enseñarles los elementos más rudimentarios de la gramática hebrea y compone su obra titulada *Libro de la balanza* en la que explica que los principios filológicos son la base fundamental para la correcta interpretación de la *Biblia*. Además, traduce al hebreo las obras gramaticales de Yehudá Hayyuj, escritas en Sefarad en judeo-árabe, en las que este autor expone que la raíz de tres consonantes es la estructura básica de la filología hebrea: un concepto novedoso para los judíos italianos de entonces. Al mismo tiempo, empieza su labor exegética con los comentarios a los libros bíblicos de Eclesiastés y Job, y el primer comentario a Daniel.

Parece ser que una disputa, precisamente sobre los diversos métodos de interpretación bíblica, que tuvo con un joven discípulo le llevó a abandonar Roma en 1145. Abraham ibn Ezra viaja de ciudad en ciudad, viviendo temporadas más o menos largas en las comunidades judías, enseñando y componiendo tratados científicos para ganarse la vida. A veces incluso escribía las mismas obras con contenidos diferentes en distintas ciudades, por eso encontramos hoy varias versiones de algunas de ellas.

Su siguiente destino es Lucca, ciudad en la que comienza su obra estrictamente científica con un tratado titulado *Libro del número*. Se trata de un manual sobre aritmética, para ser utilizado probablemente como material pedagógico, en el que explica el sistema de numeración de posición e introduce el concepto del cero. Ibn Ezra afirma que este método matemático fue inventado por los sabios de la India y transmitido a occidente por los musulmanes, gracias sobre todo a los escritos de al-Juarizmi. La obra de Ibn Ezra es una de las primeras que contribuyeron a la introducción de nuestro actual sistema de numeración de posición en Europa. En su *Libro de la unidad*, escrito varios años después, probablemente durante su estancia en Provenza, expone distintas teorías sobre los números y sus combinaciones y busca su aplicación práctica en la geometría, la astronomía y la astrología. Una parte importante de este tratado está dedicada a explicar la relación entre los números y los atributos divinos con una intención claramente teológica, lo que demuestra el afán de Ibn Ezra por encontrar siempre conexiones entre la ciencia y la religión judía.

Durante su estancia en la ciudad de Lucca, también compuso Ibn Ezra dos versiones en hebreo del *Manual para el uso del astrolabio*, en el que explica el funcionamiento de este instrumento y muestra sus aplicaciones astronómicas y astrológicas. Más tarde escribió una versión de esta obra en latín, probablemente para un alumno cristiano, y otra más en hebreo. Debido a que un instrumento de estas características permitía averiguar la posición de los astros en el cielo en un lugar determinado y en un año concreto, incluso en un día o en una hora fija, los astrólogos consideraban que era muy útil para conocer cómo podían influir los astros en el devenir de los acontecimientos históricos de una ciudad e incluso para saber los años que viviría una persona, calculando las distancias en grados entre los diversos planetas en el momento de nacer. El astrolabio también funcionaba como reloj y en este manual se explica cómo calcular la hora observando la situación del Sol durante el día y mediante la posición de algunas estrellas fijas durante la noche. Ibn Ezra llama la atención sobre el cuidado tan extremo que hay que poner al utilizar este instrumento, porque hay

Astrolabio de estilo gótico con inscripción hebrea. Es de 1550, de origen europeo. Chicago, Adler Planetarium & Astronomy Museum. ICA 159, M-20.

muchos que no son exactos debido a su mala fabricación. En ambas versiones hebreas del *Manual del astrolabio* incluye una lista con los nombres de las estrellas en hebreo, derivados de sus respectivos en lengua árabe de la traducción del *Almagesto* de Tolomeo. Debido al enorme uso que los astrolabios tuvieron en la Edad Media, manuales como el que escribió Ibn Ezra explicando sus aplicaciones prácticas tuvieron gran éxito entre los astrólogos y los astrónomos, y fueron muy apreciados por los navegantes, para quienes saber cómo funcionaba este instrumento era imprescindible para orientarse en el mar.

Ibn Ezra pasó una temporada en Pisa, ciudad de la que su compatriota Benjamín de Tudela decía que tenía mil torres, y también en Mantua. Se cuenta que, durante su estancia en esta ciudad, utilizó sus conocimientos astronómicos para dar asesoramiento al proyecto de construcción de la Torre del Sol, que se llevó a cabo a mediados del siglo XII. Este edificio constaba de cuatro torres, cada una de las cuales estaba orientada para reflejar las cuatro estaciones del recorrido solar, los dos equinoccios y los dos solsticios. Parece ser que Ibn Ezra ayudó a encontrar el lugar más idóneo para levantar este edificio.

Entre 1146 y 1148 pasó una temporada en Verona. Las cuestiones del calendario judío, cómo establecerlo y cómo explicar las leyes en las que se basa, le ocuparon gran parte de su tiempo y a ellas dedicó un tratado titulado *Libro de la intercalación*. En él analiza la manera de fijar el comienzo del mes lunar y utiliza teorías griegas y árabes para explicar científicamente el tiempo cíclico aplicándolas al calendario judío.

Uno de los asuntos más importantes para establecer el calendario consistía en averiguar el momento preciso en que el Sol entraba en el signo de Aries, porque marcaba el final de un año solar y el comienzo del siguiente. Ibn Ezra señala como fecha el 14

de marzo e indica que cada 130 años se retrasa un día la entrada del Sol en este signo. Según la tradición judía, el mundo fue creado cuando los siete planetas se encontraron en la cabeza de Aries, entre los meses de marzo y abril, y este hecho determinó a partir de entonces el comienzo del año solar. En este libro menciona Ibn Ezra la existencia en la Antigüedad de dos escuelas de especialistas que dedicaron sus esfuerzos a resolver esta cuestión. La primera estaba encabezada por Rabí Samuel, pero no era muy precisa porque utilizaba métodos muy pobres y buscaba soluciones simples, aproximadas e inexactas; sus conclusiones, sin embargo, eran conocidas por todos. La segunda escuela estaba dirigida por Rabí Ada y, debido a su mayor conocimiento de los movimientos de los astros, logró una mayor precisión a la hora de establecer el calendario, pero sus descubrimientos permanecieron en secreto y no fueron transmitidos a la mayoría de los judíos. Ibn Ezra cree haber encontrado el sentido de que este misterio permaneciera oculto:

El calendario judío se basa en un sistema mixto: los años se rigen por el Sol y duran 365 días y un cuarto de día aproximadamente, mientras que los meses dependen de la Luna, cuya duración, de entre 29 y 30 días, se considera que se extiende desde una conjunción con el Sol hasta la siguiente. La diferencia entre los 12 meses lunares y el año solar es de unos 11 días y por esta razón es necesario intercalar un año bisiesto de 13 meses en los años tercero, sexto, octavo, decimoprimero, decimocuarto, decimoséptimo y decimonoveno, que es el último del ciclo. Estos reciben el nombre de embolismales. Por este procedimiento se consigue también que las fiestas se celebren en su estación correspondiente: la Pascua en primavera, la fiesta de las Cabañas en otoño, etc. El año comienza en el mes de Tisrí que coincide entre septiembre y octubre; sin embargo, la enumeración de los meses sigue el calendario babilónico y comienza en primavera: Nisán *(marzo-abril),* Iyar *(abril-mayo),* Siván *(mayo-junio),* Tamuz *(junio-julio),* Ab *(julio-agosto),* Elul *(agosto-septiembre),* Tisrí *(septiembre-octubre),* Marjesván *(octubre-noviembre),* Kislev *(noviembre-diciembre),* Tébet *(diciembre-enero),* Sébet *(enero-febrero),* Adar *(febrero-marzo). Para el cálculo de los años, los judíos siguen la tradición rabínica que estableció que la creación del mundo tuvo lugar en el 3760 a.C. y toman como punto de partida ese año.*

Calendario con disco de pergamino móvil.
***Biblia* de Josué ibn Gaón, Castilla 1300. París, Biblioteca Nacional. Ms. heb. 20, fol. 7v.**

> *En mi opinión la razón por la cual la escuela de Rabí Ada guardaba en secreto el método para saber cuando entraba el Sol en el signo de Aries se debe a que cualquiera podría conocer todo lo que iba a ocurrir en la Tierra siguiendo los procedimientos de los sabios en la ciencia astrológica.*

Ibn Ezra llama la atención sobre el hecho de que el conocimiento de los movimientos astrales podía ser utilizado para conocer el futuro y realizar predicciones astrológicas mundiales, es decir, que podían determinar el curso de los acontecimientos históricos de los países, y por eso es una ciencia que debe permanecer en secreto, reservada sólo para unos elegidos. De esta manera, quiere prevenir sobre los peligros que puede encarnar la astrología cuando es puesta en práctica por personas inexpertas y esto nos hace pensar que probablemente los destinatarios de este tratado pertenecían a su propio círculo de elegidos.

De vuelta a Lucca, Ibn Ezra terminó su primera obra dedicada prácticamente en su totalidad a la astrología: *El libro de los juicios de los signos del zodíaco*. Es característico en él la utilización de términos bíblicos con significado científico. La palabra *gebul* tiene en la *Biblia* el sentido de límite o frontera, como se puede observar en el versículo en el que el poeta, al referirse a Dios, afirma *"Tú fijaste todos los límites de la Tierra"* (Sal 74,17), pero en la obra de Ibn Ezra se emplea con un claro contenido científico para referirse a los siete climas en que se divide el mundo habitado. Es un ejemplo de cómo las palabras hebreas se integraron en el nuevo vocabulario científico en esta lengua, que hasta ese momento era todavía muy pobre.

En esta obra describe Ibn Ezra las características astrológicas de las constelaciones del zodíaco, las doce casas astrológicas, los planetas y otros asuntos. Son significativas sus palabras sobre la posibilidad de ver el planeta Venus:

> *Cuando el Sol y la Luna están en conjunción en el signo de Piscis y Venus se encuentra en su máxima latitud al norte, se puede ver este planeta, pero esto es imposible en el caso de los demás.*

Una parte importante del libro está dedicada a los métodos para establecer con precisión las casas astrológicas, fundamentales para determinar el horóscopo de una persona. Para conocer el comienzo de cada casa, Ibn Ezra recomienda utilizar la doctrina de las ascensiones que consiste en calcular el número de grados del ecuador que ascienden por encima del horizonte de un determinado lugar de la tierra junto con los consecutivos signos del zodíaco. Este método era bastante complicado y exigía importantes conocimientos de trigonometría esférica, pero en la práctica se usaban los datos de las tablas de ascensiones que normalmente se incluían en las tablas astronómicas.

Como se puede observar, la mayoría de las obras científicas escritas durante su estancia en Italia son tratados de carácter general sobre cuestiones de matemáticas, geometría y, por supuesto, de astronomía y astrología, con una intención didáctica, para poder enseñar a sus discípulos estas ciencias. También escribió obras de carácter práctico sobre el funcionamiento de instrumentos y sistemas científicos como el astrolabio y las tablas astronómicas, pues vio la necesidad de comenzar por establecer los principios básicos de estas ciencias y los instrumentos fundamentales para poder más adelante adentrarse en detalles más específicos, lo que conseguirá durante su etapa en Provenza.

Un astrónomo español observando las estrellas con la ayuda de un astrolabio y de las cartas astronómicas y discutiendo con otros compañeros. Segunda parte de la *Guía de perplejos* de Maimónides. Barcelona 1348. Copenhague, Biblioteca Real, Cod. Hebr. 37, fol. 114r.

Ciencia y exégesis bíblica

Una de las características de Abraham ibn Ezra por las que más éxito tuvo entre judíos y cristianos es por la aplicación de la ciencia a la exégesis del texto bíblico. Para él, como para la mayoría de los judíos, la *Biblia* no es un libro de ciencia, pero pensaba que en ella se podían encontrar referencias a las teorías científicas vigentes en su tiempo. Nada más llegar a Italia, lo primero que hizo el tudelano fue escribir un comentario al libro del Eclesiastés. Debía de tener un enorme deseo de exponer sus conocimientos científicos porque en el primer capítulo de su comentario se extiende ampliamente sobre diversas cuestiones de ciencia relacionadas con el texto bíblico.

El comentario al libro del Eclesiastés

El libro bíblico del Eclesiastés había planteado varios problemas de interpretación a lo largo de la historia de la exégesis, porque en él aparecen afirmaciones sobre el significado de la vida y el destino del ser humano que podían llevar al escepticismo más absoluto y al abandono de la práctica religiosa por considerarla carente de sentido. En los primeros versículos de este libro su autor recoge la conocida expresión de que todo es vanidad y se pregunta: *"¿qué provecho obtiene el hombre de todo el esfuerzo que realiza bajo el Sol?"* (Ecl 1,3). Después menciona algunos fenómenos naturales, como la salida y la puesta del Sol, la permanencia de la Tierra, los movimientos del viento y el recorrido del agua de los ríos hacia el mar. El autor continúa hablando de su experiencia como rey en Jerusalén —afirmación que llevó a muchos intérpretes de la *Biblia* a atribuir la autoría de este libro al propio rey Salomón— y nos explica que dedicó toda su vida a investigar y analizar todo lo que se hace bajo el cielo para llegar a la conclusión de que *"nada nuevo hay bajo el Sol"* y de que no tiene ningún sentido dedicarse a los asuntos del mundo porque todos son *"vanidad de vanidades"*.

La perspectiva que Ibn Ezra adopta al interpretar estas ideas básicas es uno de los mejores ejemplos de cómo las teorías científicas y filosóficas de su época pudieron servir para dar sentido a un texto bíblico y hacerlas compatibles con la ortodoxia religiosa. Siguiendo el pensamiento neoplatónico de su tiempo, expone en la introducción que el ser humano es un compuesto de una parte material, que es el cuerpo y que está formada por los cuatro elementos: agua, tierra, aire y fuego, y una parte espiritual, que es el alma y que procede del mundo superior. Por lo que el ser humano debe esforzarse en la vida es por la perfección del espíritu mediante el abandono de los placeres del cuerpo y la búsqueda de la sabiduría suprema que es la que lleva al conocimiento de Dios.

Ibn Ezra encuentra en la pregunta *"¿qué provecho obtiene el hombre de todo el esfuerzo que realiza bajo el Sol?"* (Ecl 1,3) una referencia a la influencia de los astros en los seres terrenales y explica que todas las acciones que el hombre realiza en este mundo no producen provecho pues dependen de las influencias astrológicas, pero existe una actividad humana que sí produce beneficio: la perfección del espíritu, porque, debido a que procede del mundo superior, no está *"bajo el Sol"*, es decir, no está sometido a la influencia de los astros. La mención de la Tierra, el Sol, el viento y el agua de los ríos en los primeros versículos del Eclesiastés es interpretada en la exégesis de nuestro autor como una alusión a la teoría neoplatónica de los cuatro elementos, tierra, fuego, aire y agua, que forman la materia con la que han sido creados todos los seres.

Ibn Ezra utiliza también sus conocimientos científicos sobre el proceso de evaporación del agua en su interpretación del versículo *"todos los ríos van al mar y el mar no se llena, porque al lugar donde los ríos van ellos vuelven a ir"*(Ecl 1,7) y explica que el agua de los ríos va a parar al mar, pero, debido a que aquella es dulce y más ligera, se evapora y forma las nubes que, posteriormente, se transforman en lluvia. El agua que cae en la tierra origina fuentes y manantiales de los que nacen los ríos, cerrándose de esta manera el proceso cíclico de las transformaciones del agua. Con estas observaciones Ibn Ezra quiere dar a entender que en la *Biblia* se recogen ideas científicas que han llegado a la cultura occidental también por otros cauces.

La referencia al reinado en Jerusalén, que originó la atribución de la autoría del libro al rey Salomón, le lleva a Ibn Ezra a recurrir a la teoría de los siete climas para justificar que la ciudad santa es el lugar idóneo para alcanzar la sabiduría, porque se encuentra a 33^{0} latitud norte, es decir, en el centro del mundo habitado, y según él, solamente las tres partes centrales son adecuadas para que la naturaleza del ser humano se desarrolle con rectitud y capacidad de conocimiento, porque en las demás hace demasiado calor o demasiado frío para que esto sea posible. Ibn Ezra sigue aquí las mediciones que realizó Abraham bar Hiyya, siguiendo las teorías de otros científicos musulmanes, y las utiliza para justificar la influencia que ejercen los climas en el carácter y en las actividades de las personas que viven en ellos. En este caso concreto, Ibn Ezra justifica que el rey Salomón vivía en el clima y en la ciudad más adecuados para practicar la sabiduría.

Asimismo, Ibn Ezra hace uso de las teorías cosmológicas para explicar el enigmático versículo *"lo que fue será y lo que se hizo se hará y no hay nada nuevo bajo el Sol"* (Ecl 1,9). La primera parte de esta frase es interpretada por él como una referencia a los movimientos circulares de las esferas celestiales, que son los que hacen que el tiempo sea cíclico y determinan que pasado, presente y futuro se sucedan continuamente sin parar. Para explicar *"lo que*

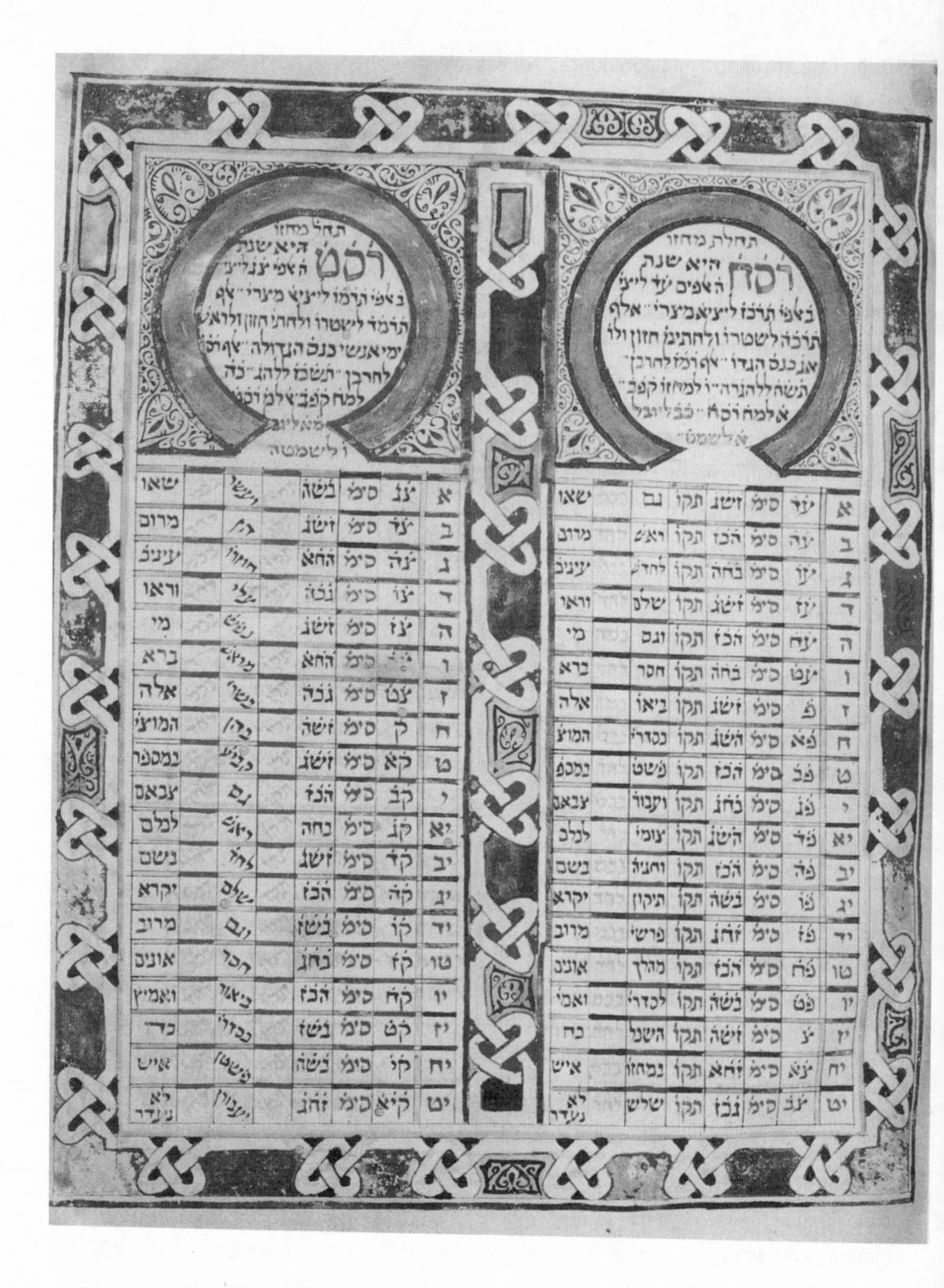

Calendario. *Biblia* de Josué ibn Gaón, Castilla 1300. París, Biblioteca Nacional. Ms. heb. 21, fol. 2v.

se hizo se hará y no hay nada nuevo bajo el Sol", Ibn Ezra recurre a la idea de la filosofía neoplatónica de que los seres terrenales han sido creados siguiendo los modelos de los seres superiores y, por lo tanto, no puede existir nada nuevo. Sin embargo, el conocimiento humano parece ser una tarea dura porque así lo hace ver el autor del Eclesiastés cuando afirma: *"dediqué mi mente a investigar y a analizar con sabiduría todo lo que se hace bajo el cielo y me di cuenta de que es una tarea difícil que ha dado dios a los hombres para que se ocupen de ella"* (Ecl 1,13). Ibn Ezra interpreta que este versículo está aludiendo a las 1022 estrellas fijas que forman las 48 constelaciones celestiales y llega a la conclusión de que la dificultad del conocimiento humano radica en que es imposible analizar las combinaciones de estrellas que dan lugar a sus influencias; es decir, que en opinión de Ibn Ezra, lo que el autor del libro bíblico quiere decir es que es difícil el estudio de las influencias astrológicas.

Otra afirmación de carácter enigmático la encontramos en el versículo *"lo que ha sido ya es y lo que será ya fue, dios busca lo perseguido"* (Ecl 3,15). Para Ibn Ezra en esta frase hay también una alusión al movimiento circular de las esferas, pero en este caso añade un dato más: *"lo perseguido"* se refiere a la Tierra. ¿Cómo justifica esta alusión? El globo terrestre se encuentra fijo e inmutable en el centro de las esferas, que giran constantemente alrededor de él y pre-

lossieteclimas

En la Edad Media existía la teoría de que el mundo habitado estaba dividido en siete zonas desde el ecuador, la más caliente, hasta las frías tierras del Polo Norte, en cada una de las cuales existían unas condiciones climáticas y meteorológicas similares. Abraham bar Hiyya estableció que las siete zonas habitadas de la tierra se extendían desde el ecuador hasta el grado 66º norte. La primera zona llegaba hasta los 16º 30' y correspondía a las tierras de Egipto, el Magreb y Etiopía; el segundo clima iba desde el final del anterior hasta el grado 24º y en él se encontraban las tierras de la India, China y otras; el tercer clima llegaba hasta la latitud 30º 30' y en él estaba situada la ciudad de Jerusalén. En el cuarto clima, que llegaba hasta la latitud de 36º, colocaba Bar Hiyya las tierras de Persia, Asiria, parte de Israel, Chipre, Rodas y otras; en el quinto, que alcanzaba el grado 40º, y en el sexto, que llegaba hasta el 48º, se situaban los países cristianos, Roma, Francia y otros. Finalmente, el séptimo clima, que terminaba en el grado 66º incluía los países eslavos y Gran Bretaña. La conclusión de esta teoría era que las diferencias entre los seres humanos dependían de los climas, los países, las comidas, el agua, las esferas, los astros y las constelaciones.

tenden alcanzarlo, pero como su giro es circular, no conseguirán nunca llegar a la Tierra, y sin embargo determinarán que el tiempo tenga una sucesión continua y sea infinito. En opinión de Ibn Ezra lo que Dios quiere es que las esferas giren alrededor de nuestro planeta eternamente sin llegar a alcanzarla nunca y que, de esta manera, el tiempo sea también eterno.

Lo interesante de estas observaciones es la sensibilidad que muestra Ibn Ezra para detectar en el texto bíblico todo tipo de alusiones, metáforas, imágenes y símbolos que le permitan establecer conexiones entre las ideas expresadas en la *Biblia* y las teorías científicas de su tiempo. Estas interpretaciones eran totalmente novedosas para los judíos italianos, acostumbrados hasta entonces a las tradicionales explicaciones de sus rabinos, y probablemente dieron lugar a más de una discusión polémica.

estrellas y constelaciones

Según la astronomía medieval el número de estrellas fijas conocidas era 1022, que es el mismo que aparece en la obra clásica de Tolomeo, Almagesto, *y se agrupan en 48 constelaciones: los 12 signos del zodíaco, las 15 constelaciones del hemisferio sur y las 21 del hemisferio norte. Los mismos datos aparecen en las obras de Al-Battani y Abraham bar Hiyya, que afirmaba que este es el número de estrellas* “cuya luz llega a la vista humana”, *pero no son las únicas que existen, pues él calculaba que podía haber más de cien millones que, por su situación muy alejada de la Tierra, eran invisibles. La razón de que el astrónomo de Barcelona afirmara la existencia de un número desconocido de estrellas es nuevamente un intento de explicar racionalmente versículos bíblicos como* “¿acaso tienen un número sus astros?” *(Jb 25,3) o la promesa de Dios a Abraham que se recoge en las palabras* “multiplicaré tus descendientes como las estrellas del cielo” *(Gen 26,4), es decir, de tal manera que no se puedan medir. Las opiniones de este autor debieron de ejercer una influencia notable en la perspectiva científica con la que Ibn Ezra se acercaba al texto bíblico.*

El comentario al libro de Job

El libro bíblico de Job cuenta la historia de un hombre justo y honrado que practica la ley de Dios y posee una inmensa riqueza. Un día se presentan los ángeles ante el Altísimo junto con Satán para obtener su permiso y poner a prueba la fe de Job. Dios accede y a partir de ese momento todo tipo de desgracias caen sobre este hombre justo, afectando a su familia, a sus posesiones e incluso a su propia salud; sin embargo, Job se mantiene fiel a sus principios religiosos. Este libro, cuyo texto está plagado de enigmas y ambigüedades, ha planteado varios problemas de interpretación a lo largo de la historia de la exégesis bíblica. Para algunos judíos podía poner en duda un principio fundamental de su religión que defiende que si se practica la ley de Dios se recibirá recompensa en esta vida. Algunos comentaristas judíos no entendían cómo era posible que un hombre tan bondadoso y tan honesto como Job sufriera tantas desgracias y optaban por pensar que, en el fondo, no era como parecía; otros, sin embargo, adoptaban una postura más indecisa y dubitativa y sugerían aquello de "los caminos de Dios son insondables".

La originalidad del comentario de Abraham ibn Ezra es que hace uso de teorías astronómicas y astrológicas para tratar de resolver las dudas mencionadas. En su concepción cosmológico-teológica, los astros son movidos por los ángeles y a través de estos movimientos ejercen sus influencias en los seres terrenales. Satán, como ángel malvado que se rebeló contra Dios, ha movido los cuerpos celestes de tal manera que sus influencias sobre Job le han ocasionado todo tipo de calamidades; es decir, que sus desgracias no son la consecuencia de sus malas acciones, sino el resultado natural de la disposición adversa de los astros. La colocación de estos en el cielo tiene especial relevancia en el momento del nacimiento y por eso el texto bíblico dice que *"Job maldijo su día"* (Jb 3,1). La dificultad que planteaba este versículo era cómo explicar que el justo y honrado Job lanzara una maldición sobre el día en que iba a nacer y se arrepintiera de haber venido al mundo. Ibn Ezra parece encontrar una solución a este problema cuando comenta que *"los días malditos son aquellos en que las dos luminarias se encuentran en una posición difícil"*, es decir, los días en que la conjunción entre el Sol y la Luna ejerce influencias desfavorables en el ser humano. En su opinión, se trata de un hecho constatable que existen días malditos en los que las influencias astrológicas son adversas y lo que le lleva a Job a adoptar esa actitud es el hecho de tomar conciencia de que sus desgracias son consecuencia de los decretos astrales.

En algunos casos, Ibn Ezra aprovecha expresiones del texto bíblico para introducir teorías científicas, aunque no con la intención de esclarecerlo sino para despertar en sus lectores el interés por la ciencia tomando como base el texto sagrado. Así, por ejemplo, la simple aparición de las palabras día y noche en el versículo *"¡que desaparezca el día en que nací y la noche en que se dijo: ha nacido un varón!"* (Jb 3,3) es motivo suficiente para introducir la teoría de que el movimiento del Sol es el que origina el día y la noche porque gira alrededor de la Tierra, que es el centro del Universo; el globo terrestre por sí mismo es oscuro y sólo recibe luz desde lo alto, del Sol y de las estrellas.

En los versículos Jb 9,9 y 38,31 aparecen mencionados los nombres de varias constelaciones que tradicionalmente se han identificado con la Osa Mayor, Orión, las Pléyades y las

Cámaras del Sur. En sus comentarios a estos versículos, Ibn Ezra no busca solamente explicar el texto, sino utilizarlo como excusa para demostrar a sus lectores sus conocimientos astronómicos. Comparando sus explicaciones con las ideas que aparecen en otros de sus libros de astronomía se llega a la conclusión de que para él dos de los nombres que aquí aparecen no son constelaciones sino estrellas y así, en lugar de Orión y las Pléyades, él afirma que el texto bíblico se refiere a Antares y Aldebarán. La razón de identificar los nombres bíblicos con estas dos estrellas es que el versículo se refiere a la influencia de los astros en la formación de los frutos y en su recolección y Aldebarán y Antares precisamente aparecen en el firmamento en otoño y en verano, que son las estaciones asociadas a estos dos fenómenos agrícolas. Estas observaciones demuestran, por una parte, que los conocimientos de astronomía eran útiles para dar sentido a un texto religioso y, por otra, que a través de la *Biblia*, la ciencia se hacía más asequible a personas imbuidas de una mentalidad religiosa profunda.

En Lucca terminó su *Comentario al libro de Isaías*, que había empezado años antes, y comenzó su *Comentario al Pentateuco*. También escribió comentarios a los libros de Ester, Cantar de los Cantares y Rut.

Su estancia en tierras provenzales

Su llegada a Provenza, en 1148, fue muy bien recibida sobre todo por los intelectuales que veían en este sefardí la posibilidad de conocer la riqueza cultural y científica de su país de origen. Hasta el siglo XII los judíos provenzales estaban más volcados hacia el mundo franco-germánico que hacia la cultura de Sefarad, pero, a través de las traducciones de obras científicas del árabe al hebreo y, sobre todo, gracias a la labor desarrollada por estas tierras por Abraham bar Hiyya, el judaísmo provenzal se abrió a la cultura sefardí.

Abraham ibn Ezra tenía pues abonado el terreno y no tardaría mucho en darse cuenta de que sus conocimientos científicos le podían aportar los mismos beneficios que durante su etapa en Italia. Hizo su primera escala en Béziers, donde escribió el *Libro del nombre*. Estuvo también en Burdeos y después en Rouen, donde pasó buena parte de su tiempo traduciendo obras del árabe al hebreo. Pero fue en la ciudad de Béziers y prácticamente a lo largo del año 1148 cuando Ibn Ezra escribió la mayor parte de su producción científica de carácter astrológico. Las primeras obras están destinadas a describir, explicar y enseñar los fundamentos básicos de la astrología, mientras que las segundas se ocupan de aspectos más específicos de esta ciencia.

El principio de la sabiduría

El principio de la sabiduría es la obra astrológica más importante de Abraham ibn Ezra. Se trata de una especie de introducción general a esta ciencia medieval en la que se recogen sus principales ideas. Al comienzo del libro nos expone Ibn Ezra que su intención es explicar cómo actúan las influencias de los astros para poder evitarlas y esto sólo se consigue con el temor de Dios que se alcanza mediante el conocimiento de la sabiduría suprema. De esta manera pretende el autor acercar el estudio de la astrología a todos aquellos judíos que, por un profundo espíritu religioso, sentían recelos hacia el peligro que podría suponer para su religión admitir la influencia de los astros.

Tras exponer unas ideas generales sobre la esfera celestial, los planetas y las estrellas fijas agrupadas en constelaciones, el autor menciona las características de los signos del zodíaco e indica los seres que dependen de cada uno de ellos, tanto animales como vegetales y minerales, las comidas, los tipos de personas y otros. Señala la relación entre las partes del cuerpo, los signos del zodíaco y las enfermedades asociadas a cada uno de ellos, una idea que sería utilizada en medicina para establecer los diagnósticos. Las zonas de la tierra y los países que están bajo la influencia de cada signo también son detallados; así, por ejemplo, Leo es el encargado de la cuarta zona, donde están Persia y Turquía. Especialmente significativo es el dato de que Acuario es el signo que corresponde a Israel, porque entraba en contradicción con la idea tradicional judía de que "Israel no tiene estrella". Ibn Ezra resuelve este conflicto en su comentario a Ex 33,21, como veremos más adelante.

Las características astrológicas de los planetas también son analizadas en esta obra. Saturno, que es el más alejado de la Tierra porque está situado en la séptima esfera, es el planeta que ejerce las influencias más negativas en los seres humanos; anuncia desastres, ruina, muerte, dolor, y todo tipo de desgracias y, sin embargo, es el encargado específicamente de los judíos. La relación entre los planetas y los pueblos de la Tierra es una de las ideas más típicas de la astrología medieval. Júpiter influye en los persas, en los asirios, en los babilonios y en los habitantes de Yemen. Marte es el responsable de los ingleses, de Egipto y sobre todo de Alejandría. Venus es el planeta de los musulmanes y de las tierras de la Península Ibérica. El Sol es el planeta de los cristianos. Entre las influencias de los planetas, Ibn Ezra señala algunas que son fenómenos naturales. Así, la Luna ejerce influencias sobre los mares, ríos y estanques de agua y está muy relacionada con los ciclos de las mareas.

Ibn Ezra explica los detalles sobre las influencias positivas o negativas, y el grado de intensidad de las mismas, que los planetas ejercen dependiendo de su posición en la esfera celestial y, sobre todo, con respecto al Sol. También llama la atención sobre los principios fundamentales que hay que tener en cuenta a la hora de establecer un pronóstico basándose en las conjunciones de los planetas. Por ejemplo, cuando una constelación emite su poder sobre otra, la receptora es la que influye en los acontecimientos que van a suceder. Respecto al poder de cada uno de los planetas sobre los demás, afirma que Venus nunca puede modificar la naturaleza de Saturno si no tiene la ayuda de Júpiter; en cambio este último puede anular las influencias negativas de Saturno, como Venus puede hacerlo con Marte, incluso con más poder que el que tiene Júpiter. Cuando un astro retrasa su movimiento indica que los acontecimientos que dependen de él, sean buenos o malos, sufrirán también retraso. También es importante tener en cuenta la posición del planeta con respecto a cada uno de los signos del zodíaco porque su fuerza varía considerablemente.

El principio de la sabiduría gozó de una enorme popularidad en la Europa medieval y en 1273 se hizo la primera traducción al francés, de la que proceden varias versiones posteriores al latín. Algunos autores modernos consideran que esta traducción es una obra fundamental para el estudio de la evolución del francés en la Edad Media porque contribuyó al desarrollo del vocabulario científico en esta lengua.

A pesar de toda la información que proporciona, Ibn Ezra no se sintió absolutamente satisfecho con el resultado de *El principio de la sabiduría* porque pensaba que eran necesarias explicaciones adicionales de los conceptos astrológicos vertidos en ella. Por eso decidió componer su *Libro de los fundamentos de la astrología*, donde establece las razones de las conexiones entre planetas, pueblos de la Tierra y signos del zodíaco. Son importantes los datos que aporta sobre las tres grandes religiones monoteístas, porque el destino de los pueblos que las mantienen va a depender en gran medida de las influencias astrales, como explicará más tarde en su *Libro del mundo*. Según esta idea, Saturno es el encargado de los judíos porque su signo, Acuario, es la casa astrológica de este planeta; en el caso de los cristianos, el Sol es su planeta porque tiene su casa en la constelación de Leo, que es su signo; pero en el caso del islam no existe la correspondencia entre el planeta Venus y el signo Escorpio. Ibn Ezra explica que el nacimiento de Mahoma y el origen de esta religión dependieron únicamente de las conjunciones de Júpiter y Saturno en un momento determinado y en un lugar concreto.

En esta obra elogia a Claudio Tolomeo por sus teorías astronómicas, pero le critica sus opiniones en el campo de la astrología; por el contrario, muestra su admiración por otros sabios de la Antigüedad, como Doroteo de Sidón y Masala de la India. A pesar de sus críticas, la admiración que Ibn Ezra tuvo por el gran científico griego fue siempre muy grande, hasta el punto de que lo llegó a considerar un rey de la dinastía de los Tolomeos, herederos de parte del imperio de Alejandro Magno. No fue el único en la Edad Media en otorgar a Tolomeo el título de monarca; muchos intelectuales musulmanes que sentían una profunda veneración por este sabio griego también lo consideraron así.

Ibn Ezra además enseña uno de los métodos astrológicos más utilizados para confeccionar predicciones sobre el futuro de una persona, que consistía en calcular en la esfera celestial la distancia en grados entre los "lugares de la vida" y los "lugares de la muerte" para pronosticar la duración de la vida y la posible fecha de la muerte haciendo una conversión de grados en años.

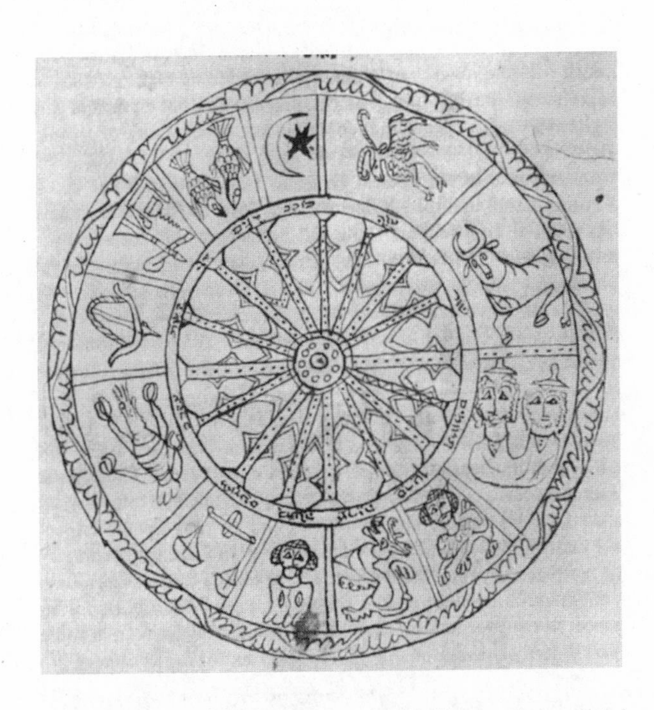

Esfera con los nombres de los signos del zodíaco en hebreo originaria de un libro de oraciones alemán de 1342. Oxford, Biblioteca Bodleiana, ms. Opp. 161, fol. 84r.

El *Libro de los nacimientos*

Desde 1146, deseaba Ibn Ezra escribir un tratado en el que se explicaran las teorías fundamentales para determinar el futuro de una persona analizando la posición de los cuerpos celestes en el momento de nacer. Fue así como apareció el *Libro de los nacimientos*, que gozó de gran éxito en su época y fue traducido al latín y al francés. En él se establecen las normas para determinar las doce casas astrológicas, que corresponden a las doce divi-

elconflictoentreastrología individualyastrologíageneral

En el mundo medieval la astrología individual se encargaba de analizar la posición de los astros que determinaban el futuro del ser humano como individuo, mientras que la astrología general aplicaba ese mismo análisis al destino de un grupo, un pueblo, una nación o incluso de todo el mundo. Uno de los problemas que más preocuparon a los astrólogos medievales era cómo hacer compatibles ambas técnicas cuando entraban en conflicto. Esto sucedía cuando las predicciones de los astros para el individuo eran diferentes de las que predecían su futuro como parte de un colectivo. Así, por ejemplo, se estudiaba el horóscopo del ser humano a principios de año y se determinaba lo que le iba a ocurrir como individuo durante este período de tiempo; estas predicciones se comparaban con el análisis de la posición de los astros al comienzo del año solar, que es cuando el Sol entra en la constelación de Aries, y se indicaban los grandes acontecimientos que iban a suceder en todo el mundo a lo largo de ese año. Podía ocurrir que la predicción general indicara que por una determinada región del globo iba a pasar una epidemia, mientras que el horóscopo particular de un ser humano que viviera en esa región podía anunciar que no iba a sufrir enfermedad alguna.

Abraham ibn Ezra, consciente de estas dificultades, trató de resolverlas tomando como base el principio de que las predicciones generales tienen prioridad sobre las particulares. En la introducción de su Libro de los nacimientos *señala que los astrólogos deben conocer los casos en los que los juicios generales anulan los particulares. Así afirma que es necesario tener en cuenta a qué pueblo pertenece el individuo y añade* "si se trata de un judío y se ve en la carta astral de su horóscopo que va a ser rey, no se debe dictar este juicio, pues la gran conjunción, que es la de Saturno y Júpiter, indica que este pueblo tiene que permanecer en el exilio, y el poder de este individuo no puede anular el principio general". *Menciona a continuación otras predicciones de carácter general que anulan los juicios particulares, como por ejemplo, la influencia de los siete climas, el destino de la ciudad en la que vive el individuo, las influencias que recibe el ser humano en tanto que pertenece a una familia o a una religión, la predicción anual que se da cuando el Sol entra en el signo de Aries y otras.*

siones de los 360º de la esfera celestial, y la técnica para interpretar sus características. Una cuestión fundamental para determinar el horóscopo era cómo fijar el grado ascendente, que es el grado del círculo zodiacal que asciende en el momento del nacimiento.

Analizar la posición de los astros al comienzo del año era fundamental para establecer el horóscopo del ser humano y poder predecir su futuro en asuntos tan importantes como las enfermedades porque, según Ibn Ezra, si una persona sabe que sus astros han determinado que en un momento concreto del año va a sufrir una enfermedad, puede prevenirla evitando tomar los alimentos y bebidas que la produzcan. Añade a continuación que la manera más eficaz de evitar las malas influencias astrales es poniendo la confianza en Dios y siguiendo sus mandamientos. De esta manera, Ibn Ezra señala la superioridad de la práctica de la religión y la búsqueda de la sabiduría que nos lleva a la divinidad por encima del conocimiento de la ciencia astrológica. El que adquiere la sabiduría suprema sabe discernir los sentidos más profundos del desarrollo de la historia personal del ser humano y comprende que las predicciones generales anulan las particulares. Este conocimiento le permite poner en marcha los mecanismos para neutralizar las decisiones particulares del horóscopo individual y salvarse de todo el daño decretado por los astros en el momento de nacer.

Otra de las cuestiones importantes tratadas en esta obra es el método para determinar cómo influyen los planetas en el feto durante el embarazo; Saturno actúa en el primer mes, Júpiter durante el segundo, Marte en el tercero y así sucesivamente. Ibn Ezra indica que si estos planetas determinan que el que va a nacer sufrirá algún daño, siempre se puede evitar pidiendo ayuda a Dios.

Las relaciones entre la medicina y la astrología fueron expuestas por Ibn Ezra en su *Libro de las luminarias*, en el que se explican principalmente las influencias que ejerce la Luna en la salud del ser humano.

Dos nuevos tratados sobre astrología individual

Uno de los aspectos de la astrología que más interesaban en la época medieval era cómo averiguar a través de la posición de los astros cual era el momento más adecuado para realizar una determinada actividad humana. Es sabido que algunos reyes, príncipes, nobles y, en general, aquellas personas de quienes dependían los asuntos de estado tenían muy en cuenta las opiniones de los astrólogos antes de tomar decisiones importantes. En su *Libro de los tiempos elegidos*, Ibn Ezra analiza esta cuestión a través del horóscopo y la posición de la Luna en las casas astrológicas. Basándose en textos bíblicos, este autor trata de demostrar que el destino del ser humano en cuestiones que afectan por ejemplo a la riqueza o a la pobreza está determinado por los astros. Así el versículo que dice *"lo torcido no se puede enderezar y lo imperfecto no se puede contar"* (Ecl 1,15) indica, en su opinión, que *"aquel cuya disposición astral haya decretado que sea pobre y no tenga riqueza jamás podrá hacerse rico"*. Y a continuación añade:

> *Debido a que el alma humana ha sido creada en un lugar que está por encima de los astros, el hombre puede reducir su mala suerte a través del conocimiento. El que tiene una disposición astral favorable y elige para sus actividades las horas más adecuadas, los días más propicios y los signos del zodíaco más beneficiosos añadirá bien al bien o podrá reducir la mala suerte del astro malo.*

La idea fundamental que Ibn Ezra quiere transmitir es que, debido a que el ser humano posee un alma procedente del mundo divino, puede escapar de la influencia de los astros gracias al conocimiento que le permite elegir los momentos adecuados para realizar sus actividades y así, la posibilidad de elegir entre el bien y el mal está estrechamente relacionada con la posibilidad de escapar de las influencias astrológicas, aunque esta capacidad siempre será limitada. En este caso Ibn Ezra no está proponiendo una salvación espiritual del ser humano, sino una solución para las cuestiones prácticas que afectan a la vida diaria.

El *Libro de las interrogaciones*, escrito también durante su estancia en la ciudad de Béziers, tiene como objetivo enseñar a responder las cuestiones que se le hacen al astrólogo sobre asuntos de carácter cotidiano, como dónde encontrar a una persona o un objeto perdido, mediante la interpretación del horóscopo en el momento en que se le hacía la pregunta. Esta técnica implicaba además que el astrólogo tenía que ser capaz de *"leer el pensamiento"* de quien le planteaba la cuestión. La idea resultaba difícil de creer por algunos autores que, aun admitiendo el valor de la astrología, consideraban que intentar penetrar en la mente de una persona y averiguar cómo influían los astros en ella escapaba del rigor científico y pertenecía más bien al mundo de la superstición. Entre los que pensaban de esta manera, Ibn Ezra menciona a Henoc y Tolomeo.

Una segunda escuela, encabezada por Doroteo de Sidón, científico griego del siglo I d. C., sostenía, en palabras de Ibn Ezra, que *"según la ciencia de la naturaleza, los pensamientos del alma cambian a medida que se modifica el cuerpo y la fuerza del espíritu sufre sus mismas alteraciones. Si tenemos en cuenta que los astros determinan la naturaleza del cuerpo e influyen en su transformación, podemos conocer los pensamientos del hombre y sus interrogaciones"*. Es decir, el análisis de las características corporales de un individuo podía indicar cuales era sus pensamientos porque unas y otros están íntimamente conectados y además, si los astros influyen en el cuerpo, también lo hacen en el alma.

Nuestro autor no se inclina abiertamente por una u otra postura y, aunque todo parece indicar que es partidario de la segunda opinión, en muchos otros textos quiere dejar muy claro que él piensa que, aunque los astros influyen en los pensamientos del ser humano y en una parte de su alma, existe otra parte procedente del mundo divino a la que esa influencia no llega. Ibn Ezra insiste nuevamente en la capacidad para escapar de los designios astrales mediante el desarrollo de la fuerza divina que posee el ser humano.

Calendario en el mapamundi de 1375. Facsímil. Barcelona, Museo Marítimo.

Un tratado sobre astrología general

En el *Libro del mundo*, también conocido como *Libro de los juicios astrológicos del mundo* y del que existen dos versiones, Ibn Ezra trata la parte de la astrología que estudiaba las técnicas y los métodos astrológicos por medio de los cuales se podía pronosticar el destino colectivo de la humanidad, tanto en sus aspectos sociales, políticos y religiosos como en lo referente al espacio geográfico en el que habita el ser humano. Además explica las relaciones entre las posiciones de los astros y los hechos históricos más relevantes ocurridos en el pasado.

Una parte importante de la obra está dedicada al análisis de las conjunciones de Júpiter y Saturno, siguiendo las teorías del astrónomo musulmán Albumasar, porque han anunciado acontecimientos importantes que han cambiado el curso de la historia de la humanidad.

Ibn Ezra explica también que a cada país y a cada ciudad les corresponde un signo del zodíaco que es el que determina su destino e incluye una lista de veintidós ciudades con sus signos correspondientes. El procedimiento para establecer esta relación era sumamente complicado y se basaba en la adaptación de diversos datos astronómicos a los parámetros geográficos de cada ciudad. La mayoría de las que aparecen en esta lista son ciudades de al-Ándalus (Granada, Almería, Sevilla, Málaga, Toledo, Valencia), pero también aparecen aquellos lugares en los que vivió el autor después de llegar a Italia y acerca de los cuales añade precisiones obtenidas por su propia experiencia:

> *El signo de Roma es Leo; de Pisa hay quienes dicen que es Piscis pero, según yo mismo he experimentado, le corresponden tres grados en el corazón del signo de Acuario; a Lucca, tal como he podido comprobar en dos ocasiones, le corresponde el signo de Cáncer limitando con Júpiter.*

Es probable que durante su estancia en los lugares mencionados, Ibn Ezra fuera requerido por algún alto dignatario para resolver algunas cuestiones de índole astrológica que pudieran ayudar a determinar el destino de la ciudad en la que vivía.

En la segunda versión de este libro es de especial interés un pasaje en el que Ibn Ezra explica que el origen de las tres religiones monoteístas (cristianismo, judaísmo e islam) fue anunciado por las conjunciones de Júpiter y Saturno que tuvieron lugar en tiempos de Moisés, Jesús y Mahoma. La salida de los israelitas de Egipto, que llevaría a los judíos hasta el Sinaí, donde recibieron la ley de Dios, está asociada a la conjunción de estos planetas que tuvo lugar en Acuario, que es el signo de Israel. El nacimiento de Jesús fue anunciado por las conjunciones de Júpiter y Saturno en la constelación de Leo en relación con la posición del Sol, que es el planeta de los cristianos. La llegada de Mahoma también se puso en conexión con la conjunción de los planetas mayores en el signo de Escorpio.

Durante su estancia en Provenza, y probablemente para un alumno cristiano, Ibn Ezra compuso una versión en latín del *Tratado del astrolabio*. En el año 1154, probablemente en Narbona (Francia), escribió el *Libro de los fundamentos de las tablas astronómicas,* también en latín, con ayuda probablemente de algún experto en esta lengua. No era la primera vez que Ibn Ezra escribía una obra con este título; durante su estancia en Lucca ya había compuesto en hebreo para un alumno judío unas tablas astronómicas acompañadas de un tratado en el que exponía los principios fundamentales de su uso. Al mismo tiempo redactó una obra similar en latín para un alumno cristiano que vivía en Pisa.

Lo interesante de estas dos versiones es que tienen en cuenta las necesidades de la persona a la que van dirigidas y por eso

las conjunciones de saturno y júpiter

La teoría astrológica medieval de que los hechos históricos dependen del movimiento de los astros se remonta posiblemente a la antigua Babilonia, aunque tuvo un desarrollo posterior en la Persia sasánida. Entró en el mundo occidental a través de las obras del científico musulmán del siglo IX, Albumasar, que fueron traducidas al latín por Juan de Sevilla. Según este pensamiento, las conjunciones de Saturno y Júpiter, los planetas mayores, en primer lugar, y de Marte, en segundo lugar, son las responsables de los grandes acontecimientos que han hecho cambiar el curso de la historia. Algunos pensadores musulmanes como Ibn Jaldún opinaban que la conjunción de Saturno y Júpiter, conocida como conjunción máxima, *tenía lugar cada 1060 ó 960 años en un mismo grado de la esfera del zodíaco y determinaba el nacimiento de las grandes religiones monoteístas. Las conjunciones medias tenían lugar cada 240 años y señalaban la duración de las dinastías y, finalmente, las conjunciones pequeñas ocurrían cada 20 años e indicaban cambios menores. Basándose en estas teorías se hicieron, a lo largo de la Edad Media, profecías de todo tipo, desde la llegada del mesías hasta anuncios de diluvios universales u otras desgracias similares. Una de las ideas que más interesaron a los cristianos de aquella época era la que afirmaba que ningún imperio ni estado era eterno, porque les daba esperanzas de que algún día derrotarían definitivamente al islam. Este mismo mecanismo fue utilizado posteriormente por Nostradamus para realizar sus predicciones.*

cada una fue escrita en una lengua distinta; desgraciadamente ambas se han perdido. La versión latina compuesta en Narbona es la única que se ha conservado. Este hecho demuestra que Abraham ibn Ezra tenía contactos estrechos con cristianos que, como era habitual, utilizaban el latín como lengua para expresar conocimientos científicos. La versión del *Libro de los fundamentos de las tablas astronómicas* elaborada en Narbona también contiene algunos puntos de vista de carácter técnico que indican que estaba dirigida a un público cristiano; así, por ejemplo, se toma como pauta cronológica el calendario cristiano, en lugar del judío, y se considera como período de estudio el ciclo de 20 años, que es el ciclo solar, seguido por los cristianos.

En esta obra expone Ibn Ezra los conocimientos astronómicos y astrológicos necesarios para utilizar las tablas astronómicas, aunque estas no aparecen incluidas. En la introducción destaca el autor la primacía del Sol sobre los demás astros y describe sus dos movimientos: el diurno, que dura 24 horas, y el de traslación, cuya duración es de 365 días y una cuarta parte de día. Cada cuatro años se forma un día completo, que se añade al final de febrero y marca el año bisiesto, aunque el autor indica que no en todas las culturas y en todas las épocas se ha seguido este procedimiento; así, por ejemplo, los cristianos que vivían en tierras musulmanas, como pasaba en España, añadían el día de referencia al final de diciembre.

Ibn Ezra analiza las diferentes opiniones entre los astrónomos, tanto antiguos como medievales, sobre diversas teorías y trata de armonizarlas, aunque sigue con preferencia las opiniones de los autores musulmanes medievales. Alude a la teoría de la trepidación, sostenida por la mayoría de los astrónomos antiguos que explicaban que el firmamento se movía en una especie de balanceo casi imperceptible. Nuestro autor no veía con buenos ojos esta interpretación y se unía a quienes, como Tolomeo y los autores musulmanes que le siguieron, se burlaban de esta teoría. También señala las divergencias entre los astrónomos sobre la posición del apogeo solar, es decir, el punto en el que el Sol está más alejado del centro de la Tierra. Las diversas discrepancias que existen en estos y otros asuntos astronómicos no deben ser, en su opinión, impedimento para el estudio de esta ciencia.

A continuación, Ibn Ezra enumera las influencias de la Luna en la salud del cuerpo humano, especialmente en la evolución de las heridas, en los mares y en los ríos, en las plantas y en los animales. Menciona la relación que existe en el calendario judío entre el año solar y los meses lunares y la discrepancia entre los años judíos y cristianos, sobre todo en cuanto a las fechas de celebración de la pascua. Sobre la diversidad de movimientos de los planetas indica que Saturno se mueve de una manera muy similar a las estrellas fijas, probablemente porque es el planeta que está más próximo a ellas, y su ciclo dura casi 1000 años.

Esta obra tuvo una enorme repercusión en los círculos científicos cristianos a partir del siglo XIII. En pleno Renacimiento, el famoso Pico della Mirandola cita en sus estudios las opiniones de Ibn Ezra sobre los asuntos astronómicos mencionados, aunque fue la parte de trigonometría la que más atrajo la atención de los científicos.

La creación del mundo según Ibn Ezra

Durante su estancia en Provenza, Ibn Ezra compaginó su labor científica con su actividad exegética y fue durante esos años cuando terminó su *Comentario al Pentateuco*. No es difícil imaginar que Ibn Ezra utilizaría sus conocimientos científicos para explicar el relato de la creación del mundo que encontramos al comienzo del libro del Génesis. La idea de la creación de la nada está presente tanto en la tradición cristiana como en la tradición judía y han sido varios los filósofos que la han defendido desde una y otra perspectiva. Ibn Ezra se desmarca totalmente de esta idea y justifica sus opiniones sobre la creación desde varios puntos de vista. En primer lugar utiliza la semántica para explicar que el verbo *crear* en la *Biblia* no significa en absoluto *hacer algo de la nada*, porque se utiliza en contextos donde claramente aparecen otros seres que existían previamente, como por ejemplo en el caso de los grandes animales marinos, que fueron "creados" en el quinto día una vez que ya existían los cielos, las luminarias, las plantas y otros seres. También es así el caso del hombre, que fue "creado" cuando habían aparecido los demás seres. Este verbo se vuelve a utilizar en boca de Dios en el versículo *"Yo soy el que forma la luz y crea la oscuridad"* (Is 45,7), que, en opinión de Ibn Ezra, es un ejemplo muy claro para indicar que la ausencia de algo, la oscuridad, se crea a partir de un ente que ya existe, la luz. Nuestro autor menciona estos versículos para justificar que la explicación de la creación de la nada no tiene sentido desde un punto de vista semántico y añade que el verbo *crear* literalmente significa cortar, poner límites. Alude de esta manera a la creación del mundo a partir de los cuatro elementos que componen la materia, que son eternos e imperecederos y que se mezclan para dar lugar a la totalidad de seres. En el pensamiento de Ibn Ezra la creación que aparece en el relato del Génesis se refiere únicamente a la del mundo inferior, el mundo físico y material, que se formó de acuerdo con las leyes de la naturaleza, pero no se refiere a los ángeles ni a los astros, que en su opinión son eternos. Ibn Ezra da a entender que los seres celestiales no fueron creados en el día cuarto, sino que fueron visibles desde la Tierra a partir de ese día, aunque existían desde antes, y el hombre pudo computar sus movimientos. Lo que fue creado ese día fue la posibilidad de computar el tiempo cíclico. Estas observaciones demuestran cómo conceptos fundamentales de la ciencia fueron utilizados para interpretar el texto bíblico de manera original y novedosa.

Explicaciones del libro del Éxodo

En su comentario a Ex 3,15 Ibn Ezra expone su concepción del Universo dividido en tres partes: el mundo inferior, en el que se encuentran los animales, las plantas y los minerales y en el que el hombre ocupa el lugar primordial; el mundo intermedio, en el que están situados los planetas, cuyos movimientos irregulares y sus 120 conjunciones en cada uno de los 360 grados de la esfera celestial influyen en el destino de las acciones humanas; y el mundo de los ángeles, del que procede el espíritu del ser humano.

El alma también está sometida a la influencia de los astros, pero si se purifica y busca el conocimiento de Dios podrá evitarla. En el capítulo tres del libro del Éxodo, Dios revela su nombre divino con las letras YHVH a Moisés gracias al cual este puede realizar milagros. Este nombre, en cambio, no aparece ni en el libro del Eclesiastés ni en el relato de la creación, porque los contenidos que se tratan en ellos se refieren a las leyes de la naturaleza, pero no se habla de cómo alterarlas, por eso aparece el nombre de Elohim, que en realidad es un adjetivo, según Ibn Ezra. El que alcanza el secreto del nombre divino tiene capacidad de cambiar las leyes de la naturaleza y realizar milagros, como hizo Moisés cuando llegó a Egipto y provocó las famosas diez plagas.

israelnotieneestrella

En el capítulo diecisiete del libro del Génesis se cuenta que Dios se dirigió a Abraham para anunciarle que su mujer Sara le daría un hijo, Isaac, del que surgiría una inmensa descendencia. Abraham le mostró su asombro porque no entendía cómo podían tener un hijo si tanto él como su esposa eran ya ancianos. Según una tradición judía recogida en el Talmud, *Abraham se puso en contacto con Dios para comunicarle que había consultado la disposición de sus astros y le habían anunciado que no podía tener hijos. Dios le pidió que dejara sus cálculos astronómicos porque "Israel no tiene estrella" y además le dijo que si hacía un pacto con él, se multiplicarían sus descendientes. La tradición quería indicar, por una parte, que Abraham, como individuo que pertenece al pueblo de Israel, no está bajo la influencia de los astros, y por otra, que Dios tiene poder para hacer milagros y cambiar las decisiones de los seres celestes a todos los que se le acercan.*

Pero esta tradición fue utilizada por algunos científicos judíos medievales que creían en el valor práctico de la astrología, como Abraham bar Hiyya, para justificar que el patriarca Abraham creía en el poder de los astros y que él mismo fue astrólogo. Ibn Ezra trata de dar una explicación relacionando las afirmaciones del

Al principio del capítulo doce del Éxodo se nos cuenta que Dios comunicó a Moisés cual sería el primer mes del año a partir del cual deberían contar el tiempo cíclico. Ibn Ezra aprovecha esta afirmación para introducir los fundamentos astronómicos del calendario judío y para explicar el origen semántico de algunos términos hebreos que se utilizan para mediciones temporales. Nos explica que el año está basado en el recorrido que hace el Sol alrededor de la Tierra desde que empieza en la cabeza de Aries hasta que, al cabo de 365 días y un cuarto de día, vuelve al lugar en el que empezó para repetir una vez más su movimiento; por eso, en hebreo la palabra año se dice *shanah* que significa repetir. El mes, sin embargo, se basa en los cambios de la luz de la Luna que tienen lugar cada 29 días y unas fracciones cuando aparece la Luna nueva; por eso la palabra mes en hebreo se dice *hodesh,* que significa nuevo. Las fiestas judías deben seguir el calendario de las estaciones, que están fijadas por los movimientos del Sol y se basan en el año solar; así lo dijo Dios en *"guarda el mes de la primavera y celebra la Pascua en honor a Dios"* (Deut 16,1) y lo mismo con las demás fiestas: la fiesta de las Semanas es llamada la *"fiesta de la Siega"* (Ex 23,16) y a la fiesta de las Cabañas se la denomina, también en este versículo, *"la fiesta de la Recolección"*. La adaptación del calendario lunar al calendario solar añadiendo un mes cada cierto número de años también res-

texto bíblico con la tradición talmúdica. La disposición de los astros en el cielo es imposible modificarla, pero sí se puede evitar su carácter determinista y anular sus influencias negativas mediante la ayuda de Dios, que es el que domina las disposiciones astrológicas. Es importante, pues, saber si los astros han determinado que una persona no puede tener hijos para poner los medios y tratar de evitar ese mal presagio. Esto es lo que, en opinión de Ibn Ezra, ocurrió en el caso del patriarca Abraham: Dios evitó la influencia astrológica que anunciaba su imposibilidad de procrear, pero no cambió el movimiento de los astros, es decir, no alteró las leyes de la naturaleza.

Este asunto vuelve a tratarlo Ibn Ezra en su comentario a Ex 23,25 para explicar la promesa que Dios hace a Moisés al decir "Yo alejaré la enfermedad de en medio de ti". *Según nuestro autor, todos aquellos que cumplan las leyes divinas podrán evitar enfermedades, pues las normas bíblicas enseñan los alimentos adecuados que se deben tomar para mantenerse sanos; pero hay otras enfermedades que no proceden del cuerpo, sino que las producen los cambios meteorológicos o vienen de las influencias del cielo. En estos casos, Ibn Ezra recomienda acudir con fe a Dios y seguir el ejemplo de Abraham que consiguió tener un hijo a pesar de que los astros habían determinado lo contrario.*

ponde a un mandato divino. Ibn Ezra llama la atención sobre el hecho de que en la *Biblia,* Moisés no explica cómo deben fijarse los meses y los años; sin embargo, ha sido la tradición la que ha mantenido un método de computar el tiempo para el que se necesitan conocimientos astronómicos.

saturnoylosjudíos

En sus libros de historia, el romano Tácito afirmaba que existía una relación entre los judíos y Saturno, planeta que, desde los tiempos de Tolomeo, estaba asociado con las características astrológicas más negativas. En la Edad Media también existía esta idea y fueron varios los autores musulmanes que trataron de dar explicaciones de esta relación. Albumasar decía que los judíos están unidos a Saturno porque de esta manera se separan de las demás religiones, lo mismo que este planeta se distancia de los demás porque es el que está mas alejado de la Tierra. Opiniones más negativas hacia los judíos encontramos en la interpretación de Abdalla, el último rey zirí de Granada, quien en su crónica afirmaba lo siguiente:

> *¿no dicen los judíos que son saturnianos? Esto es indudable pues, de hecho, ¿no hacen fiesta el sábado, que es el día de Saturno? y ¿no está su carácter del todo acomodado a las cualidades de que es indicio Saturno, o sea, avaricia, sordidez, ruindad, engaño y traición?*

En su comentario a Ex 33,21 Ibn Ezra vuelve a mencionar la idea de que, según la astrología medieval, la constelación de Acuario es el signo que corresponde al pueblo de Israel; sin embargo, existe un dicho en la tradición judía que afirma que "Israel no tiene estrella". ¿Cómo hacer compatibles ambas ideas? Según este autor lo que quiere decir este dicho es que, mientras los judíos se mantengan fieles y cumplan las leyes de la *Biblia*, los astros no podrán ejercer ningún poder sobre ellos, pero las conjunciones de Acuario les influirán en el momento en que abandonen a Dios. El caso de la esclavitud en Egipto es un buen ejemplo: los astros anunciaron que duraría aún más tiempo, pero fue precisamente el hecho de que acudieran a Dios pidiendo ayuda lo que puso fin a esa terrible experiencia.

Ibn Ezra explica la influencia de los astros en los seres humanos y cómo evitarla mediante la siguiente parábola:

> *Los siete planetas son como caballos que van corriendo por un camino, pero no actúan con la intención de hacer mal o bien a nadie, sino que siguen su propia naturaleza. Un ciego se dispone a cruzarlo sin saber si los caballos*

Calendario. *Biblia* de Josué ibn Gaón, Castilla 1300. París, Biblioteca Nacional. Ms. heb. 20, fol. 8.

seguirán por la izquierda o por la derecha; necesita de una persona que le indique hacia dónde se dirigen los animales para que le guíe en sentido contrario. El recorrido de los caballos no se puede cambiar, pero sí se puede evitar que el ciego sea atropellado por ellos.

De la misma manera, aunque no se pueden cambiar los movimientos de los astros, se pueden evitar sus influencias negativas si se conocen y se ponen los medios necesarios. El astrólogo es el experto que puede servir de guía para conseguirlo, tal como se indica en la parábola.

La astrología y los diez mandamientos

En su comentario al capítulo veinte del libro del Éxodo, Ibn Ezra explica el sentido y las razones de los diez mandamientos y establece la conexión que cada uno de ellos tiene con las esferas de los planetas. Algunas de estas relaciones son muy curiosas, así, por ejemplo, el mandamiento *no matarás* está asociado con la esfera de Marte, porque es el planeta responsable de las guerras y de las muertes; *no cometerás adulterio* se relaciona con Venus, encargado de influir en las relaciones sexuales; *no robarás* corresponde a la esfera del Sol, porque este astro roba el poder a todo planeta que entra en conjunción con él.

Es particularmente significativa la justificación que él da sobre la santificación del sábado y la prohibición de realizar cualquier clase de trabajo en ese día, porque en ella se utilizan como argumento las influencias astrológicas del planeta Saturno. Así lo expresa con sus palabras:

> *El cuarto mandamiento, que se refiere al sábado, está en relación con la esfera de Saturno. Los astrólogos dicen que cada uno de los planetas gobierna un día concreto de la semana en el cual se manifiesta su poder y además ese planeta domina la primera hora del día y otro la primera hora de la noche. También dicen que Saturno y Marte son dos planetas dañinos y el que comienza un trabajo o se pone en camino cuando uno de los dos está ejerciendo su poder se verá perjudicado. Por eso dijeron nuestros maestros, de bendita memoria, que hay permiso para causar daño la noche de los miércoles y la víspera de los sábados. No existe en todos los días de la semana una noche y un día consecutivos que estén dominados por estos astros dañinos excepto el sábado, por eso no es adecuado ocuparse en este día en tareas profanas, sino solamente en el temor de Dios.*

Ibn Ezra intenta dar una explicación racional a la prohibición de trabajar en sábado utilizando como argumento las influencias negativas de Saturno, el planeta que gobierna el sábado, en las actividades humanas: todas las tareas que se realicen en ese día tendrán consecuencias terribles. Lo que quiere resaltar este autor es que la obligación de respetar el sábado, además de ser un mandamiento divino que tiene como fundamento el día en que Dios descansó después de la creación del mundo, está de acuerdo con las leyes de la astrología, que son leyes de la naturaleza. Además, Ibn Ezra vuelve a insistir aquí en la idea de que para escapar de la influencia de los astros es preciso cumplir la ley divina.

Observaciones astrológicas en el comentario a Daniel

Entre 1154 y 1157 Ibn Ezra residió en Dreux donde continuó su labor exegética elaborando comentarios al libro de los Salmos, a los Profetas Menores y escribiendo un segundo comentario a los libros de Génesis, Éxodo, Daniel, Cantar de los cantares y Ester.

En el comentario a Daniel, Ibn Ezra relaciona las acciones de los ángeles con la influencia de los astros en la historia de los pueblos de la Tierra. En su opinión, todos los países, e incluso todos los individuos, tienen ángeles protectores que se encargan de mover los planetas para que puedan ejercer influencias positivas en sus protegidos e influencias negativas en sus enemigos. Así, por ejemplo, el *príncipe de Persia* mencionado en Dan 10,21 es identificado con el ángel protector de esta nación, pero en el contexto exegético Ibn Ezra no lo identifica con ningún planeta concreto. Sin embargo, en los tratados astronómicos menciona a Júpiter y a la constelación de Piscis como los encargados de proteger a la nación persa. Del ángel Miguel se dice en Dan 12,1 que es *el gran príncipe* e Ibn Ezra lo identifica con el ángel de Israel, el que está por encima de todos, cuya misión es la de proteger al pueblo judío. No es difícil adivinar que detrás de estas observaciones, Ibn Ezra esconde la identificación del ángel Miguel con el planeta Saturno que, como ya hemos visto, es el planeta encargado de los judíos.

Rumbo a Inglaterra

En 1158 Ibn Ezra decidió abandonar las tierras de Provenza y puso rumbo a Inglaterra. Se instaló en Londres donde tuvo un alumno muy devoto, Rabí José ben Jacob de Mourville. Parece ser que en este país Ibn Ezra pasó los últimos años de su vida hasta que murió en 1165.

Aquí escribió su *Libro del fundamento del temor de Dios* con la intención de dar argumentos racionales a las leyes recogidas en la *Biblia* y en el *Talmud*. Llama la atención sobre la importancia de la ciencia para comprender los textos bíblicos y afirma que para entender la ley de Dios y sus mandamientos son necesarias las matemáticas, la geometría, la física, la astronomía y, sobre todo, la astrología. Para ilustrar esta idea recurre a una metáfora tomada del texto sagrado: la geometría, que es la ciencia en la que se basa la astronomía, es como la escalera de Jacob que une el cielo y la Tierra. En su comentario a Gen 28,12 ya explicaba que la imagen que el patriarca vio en un sueño de una escalera por la que subían y bajaban los ángeles quería indicar que todo lo que ocurre en la Tierra depende de las decisiones de los astros. Un ejemplo más que trata de demostrar que las ideas científicas tienen un fundamento bíblico.

Los conocimientos de zoología, especialmente la clasificación de los animales, son especialmente necesarios, en su opinión, para determinar con precisión lo que la ley prohibe comer. Además pueden ayudar a resolver aparentes contradicciones entre los textos bíblicos. En el capítulo once del Levítico aparece una lista de veinte aves prohibidas, mientras que en el catorce de Deuteronomio el número de aves asciende a veintiuna. Existen dos diferencias entre ambas listas: la cuarta ave del texto de Levítico es el milano, mientras que en el de Deuteronomio es el azor; además, en este último fragmento se encuentra un ave, el gavilán, que no es mencionado en el correspondiente texto del Levítico. Ibn Ezra resuelve el asunto de la siguiente manera: el milano es una especie superior a la que pertenecen las dos subespecies, el azor y el gavilán. Estas observaciones nos demuestran hasta qué punto eran importantes los conocimientos científicos para poder cumplir las leyes religiosas con la mayor precisión.

Algunos conceptos médicos son también utilizados por Ibn Ezra para tratar de justificar normas religiosas. En este sentido podemos considerar a este autor como un precedente de Maimónides quien, debido a su mayor experiencia en el campo de la medicina, pudo ser capaz de demostrar las razones científicas que estaban detrás de muchas leyes judías, sobre todo de aquellas que se referían a la alimentación y la salud, como veremos más adelante.

Poco después de terminar esta obra, Ibn Ezra escribió la *Carta del sábado*, en la que este día de la semana adopta características humanas y se presenta como el autor de esta misiva dirigida al propio Ibn Ezra para reprocharle que se está volviendo un poco descuidado en su santificación del día sagrado. Además de dar algunos datos sobre el calendario judío, el problema que más interesa a nuestro autor es cómo establecer con absoluta precisión cuando comienza el día. Esta cuestión adopta aquí tintes de polémica, porque para los cristianos comienza por la mañana y termina por la noche, mientras que para los judíos empieza cuando se pone el Sol, es decir, la noche es anterior al día. Ibn Ezra utiliza el relato de la creación del libro del Génesis para argumentar la postura judía: allí se dice que, en el primer día, la luz fue creada después de que existiera la oscuridad del comienzo y esto quiere decir que la noche es anterior al día. Además el relato continúa con la frase *"pasó una tarde, pasó una mañana: día uno"* (Gen 1,5).

sobrelaprohibicióndeconsumir elnerviociático

El judaísmo prohibe tomar carne de animales a los que no se les haya extraído el nervio ciático y fundamenta esta prohibición en el libro del Génesis, concretamente, en la historia de Jacob en su lucha contra un ángel celestial; este no consiguió vencerlo, pero le causó una herida en el nervio ciático. A partir de ese momento, Jacob cambiará su nombre por Israel, que significa el hombre que luchó con *Dios. Por respeto a quien fue uno de sus patriarcas y a este episodio tan importante, los judíos eliminan el nervio ciático de los animales destinados al consumo.*

La explicación que da Ibn Ezra de la mencionada ley se basa en que, según la medicina medieval, los órganos fuertes y sanos de los animales fortalecen a sus respectivos en el cuerpo humano cuando son consumidos, y también los que son débiles y están enfermos ocasionan daños en su correspondientes miembros del ser humano. Como el nervio ciático pertenece a este segundo grupo lo único que puede producir en quien lo consuma es debilidad en su equivalente humano. Lo que es interesante de esta interpretación es que Ibn Ezra, aunque sabe que el fundamento de la mencionada norma se encuentra en la historia de Jacob, añade otra interpretación desde el punto de vista de la medicina que pretende otorgar un argumento racional adicional a una ley que, en su opinión, ya ha sido suficientemente justificada por la tradición judía. Pero de esta manera puede demostrar que los argumentos racionales basados en los conocimientos científicos sirven de manera muy clara para fundamentar las explicaciones tradicionales.

Abraham ibn Ezra no fue solo el autor de tratados de astronomía y astrología, también dedicó una parte importante de su vida a la traducción de obras científicas del árabe al hebreo. Además de las traducciones de obras gramaticales que Ibn Ezra realizó durante su etapa en Italia, en el año 1160, mientras vivía en Inglaterra tradujo al hebreo *El comentario de Ibn al-Mutanna a las tablas astronómicas de al-Juarizmi.*

La parte más original es la introducción, escrita por él mismo, en la que analiza el proceso de transmisión de las ciencias de Grecia y la India a la cultura musulmana. Allí nos cuenta que el primer califa de la dinastía de los abasíes quería conocer las ciencias del lejano país de oriente, porque el islam en aquel tiempo no se había abierto todavía al pensamiento profano. Buscaba a alguien que pudiera traducir algunas obras científicas al árabe, pero dudaba si esta labor podría realizarla un musulmán. Decidió entonces enviar a un judío a la India a buscar a un intelectual de estas tierras que pudiera enseñar a los musulmanes los fundamentos del sistema de numeración que se utilizaba en ese país. El judío cumplió la orden del califa y actuó de traductor entre el indio y los árabes y así fue como se dieron a conocer los conocimientos astronómicos indios al mundo musulmán.

lastablasastronómicasdeal-juarizmiy elcomentariodelbnal-mutanna

Al-Juarizmi, que vivió en la primera mitad del siglo IX, es uno de los grandes científicos musulmanes de la época medieval. Entre sus aportaciones a la historia de la ciencia se menciona la introducción del concepto de álgebra y el sistema de numeración de posición en el mundo occidental, a través de las traducciones de sus obras científicas al latín y al hebreo. A él se debe el origen de la palabra guarismo, *que se utiliza precisamente para referirse al actual sistema de numeración árabe. En el campo de la astronomía fue conocido por la elaboración de unas tablas en las que utiliza abundantemente las teorías de los astrónomos de la India.*

Ibn al-Mutanna, un científico musulmán del siglo X, elaboró un comentario sobre estas tablas en el que demuestra el interés de los musulmanes por conocer las teorías astronómicas indias y, en el caso de este autor, por hacerlas compatibles con las griegas. Aunque unas y otras pueden servir igualmente para establecer las posiciones de los planetas en un momento determinado y para predecir los eclipses de Sol y de Luna, Ibn al-Mutanna señala las considerables discrepancias que existen entre ambos métodos. La obra original en árabe de este autor se ha perdido y solamente se conservan una traducción al latín y dos traducciones diferentes al hebreo, una de las cuales fue realizada por Abraham Ibn Ezra. La obra trata sobre las diferentes maneras de establecer el calendario que existían en la Edad Media, y que marcaban las eras macedónica, árabe y persa, y sobre los métodos indios y griegos utilizados para establecer las posiciones de los planetas, la duración del día, los eclipses y la visibilidad de la Luna, además de otras cuestiones de trigonometría.

Ibn Ezra destaca en este contexto que el hecho de elegir a un judío como traductor y transmisor de la ciencia de la India a la cultura árabe se debe a que no tenía el peligro de muerte que pesaba sobre los musulmanes que se atrevieran a llevar las ciencias profanas al islam, por eso se elige un elemento externo que sirva de puente entre las dos culturas.

Ibn Ezra continúa relatando el proceso de transmisión de la ciencia y destaca la importancia de Muhammad ben Musa al-Juarizmi que elaboró unas tablas astronómicas basadas en la ciencia india, aunque sin dar explicaciones de sus datos. Fue Al-Fargani quien decidió posteriormente añadir argumentos racionales de las afirmaciones de al-Juarizmi y, poco después, Ibn al-Mutanna trató de conciliar estas teorías con los principios astronómicos de Tolomeo. Ibn Ezra expone su punto de vista y afirma que apenas hay diferencias entre las reglas indias y griegas para establecer los movimientos de los planetas, demostrando así el carácter conciliador que siempre intentó mantener a la hora de exponer teorías científicas diferentes.

Esta obra es especialmente significativa también para observar cómo Ibn Ezra utilizó el hebreo de la *Biblia*, una lengua que hasta entonces se limitaba al campo de la religión, para transmitir contenidos científicos procedentes de una cultura diferente. La palabra hebrea bíblica *musaq*, que literalmente significa sólido, estable o fijo, sirve para designar el centro de la circunferencia y para referirse a la Tierra, fija e inmóvil en el centro de las esferas. El término *mispatim* se utiliza en hebreo con el significado de juicios, y especialmente, en Sal 19,10, designa los juicios de Dios sobre los seres humanos; en la terminología de Ibn Ezra se emplea para referirse a las influencias de los astros en los seres terrenales. Como en *El libro de los juicios de los signos del zodíaco*, también aquí la palabra bíblica *gebul* se usa para designar los siete climas en que se divide el mundo habitado.

Ibn Ezra fue uno de los autores sefardíes medievales que más éxito tuvieron entre los judíos europeos, como lo demuestra la gran cantidad de manuscritos que se conservan de sus obras en las principales bibliotecas de diversas ciudades europeas. No fue menor la popularidad que alcanzó en círculos cristianos. Sus obras científicas fueron traducidas al latín y a varias lenguas europeas e influyeron en intelectuales judíos, como Abraham Zacuto o Baruj Spinoza, y cristianos, como Nicolás de Cues, Pico della Mirandola, Agustín Ricius y otros.

maimónides(1138–1204) medicinaárabeymentalidadjudía

Mientras que la medicina de Galeno se ocupa solamente del cuerpo
la de Maimónides atiende al cuerpo y a la mente.
Si él [Maimónides] *hubiera podido curar al tiempo de una sola dolencia*
lo habría librado de la enfermedad de la ignorancia.
Y si la luna le hubiera pedido un remedio médico
le habría proporcionado la perfección que le reclamaba,
le habría librado de las manchas en el plenilunio
y de su languidez en el último día del mes.

El médico árabe del siglo XIII, Ibn Abi Usaibiya, famoso por su tratado sobre las biografías de autores célebres en el campo de la medicina, recoge este poema, escrito en árabe por al-Said ibn Sana al-Mulk, en el que se alaba a Maimónides y que nos da una idea del alto grado de prestigio que el judío cordobés había adquirido al servicio de la medicina árabe para ser elogiado precisamente por un musulmán.

Su juventud en Sefarad

Moisés ben Maimón, conocido por el nombre más común de Maimónides, nació en Córdoba en el año 1138, aunque algunos opinan que fue en 1135. Su padre, Rabí Maimón ben Yosef, siguiendo la tradición familiar, fue durante muchos años juez en esta ciudad andaluza. Parece ser que su madre murió cuando él era todavía un niño. En Córdoba pasó su infancia y probablemente también su adolescencia. Con su padre estudió la *Biblia* y las leyes judías y también aprendió filosofía, astronomía y matemáticas con maestros musulmanes, lo que contribuyó a que adquiriera enormes conocimientos de la ciencia árabe.

En esos momentos la ciudad andaluza estaba gobernada por el soberano bereber Alí ibn Yusuf y, una vez perdido el esplendor de la época de los califas, la que había sido capital del califato había entrado en un período de decadencia.

No se sabe con exactitud en qué año, pero cuando Maimónides era todavía un adolescente su familia decidió abandonar Córdoba. La llegada de los almohades a la península Ibérica en el año 1147, con su excesivo puritanismo en asuntos religiosos y la falta de respeto que en algunos momentos demostraron hacia judíos y cristianos, pudo influir en la decisión de la familia de Maimónides.

En la ciudad de Fez

Tras una etapa de viajes en la que recorrieron algunas ciudades de al-Ándalus, decidieron establecerse hacia el año 1160 en Marruecos en la ciudad de Fez, capital del imperio almohade. La decisión de marchar a Fez pudo deberse al deseo del padre de Maimónides de que sus hijos estudiaran con el gran experto en leyes judías Yehudá ibn Sosán, que estaba asentado en esta ciudad. En una de sus obras, Maimónides podría referirse a este hecho cuando afirma: *"los hombres de perfecta piedad, que persiguen la verdad y la alcanzan, son los que huyen desde los extremos de la Tierra más lejanos para seguir la religión del Señor y se dirigen a los lugares donde viven hombres sabios para que se acreciente en ellos la luz de la Torá"*.

Desde el punto de vista político, la situación en Fez estaba mucho más calmada que en al-Ándalus, porque los almohades no tenían los problemas de la guerra contra los cristianos, pero los judíos del Magreb vivían por aquellos años tiempos difíciles, pues el fanatismo de estos bereberes había obligado a muchos de ellos a convertirse al islam, aunque esta política religiosa no se realizó de manera sistemática ni con la misma intensidad en todo momento. Cuando llegó la familia de Maimónides a Fez, reinaba en esta ciudad el soberano almohade Abd al-Mumin, que era menos fanático, no permitió la quema de libros de otras religiones y respetó a los sabios que no practicaban la religión islámica.

Al principio de su llegada al poder, los almohades no exigían a los que se convertían al islam practicar ningún rito musulmán, sino solamente hacer pública la profesión de fe mediante la fórmula *"no hay más Dios que Alá y Mahoma es su profeta"*. A muchos judíos esto no les supu-

Estatua de Maimónides en el barrio judío de Córdoba. Fotografía de Mariano Gómez Aranda.

carta sobre la conversión forzosa

Maimónides escribió en árabe en Fez, entre 1160 y 1163, su Carta sobre la conversión forzosa, *dirigida a todos los judíos que habitaban las tierras del Magreb para aclararles las dudas e inquietudes que sentían por las conversiones a la religión musulmana. En ella critica a quienes defienden que es preferible la muerte antes que la conversión y sostiene que, en peligro de muerte, es mejor pronunciar en público las palabras que reconocen a Mahoma como enviado de Dios y adoptar su religión. Reconoce, sin embargo, que aquél que muere martirizado por negarse a convertirse será recompensado por el Altísimo. En cualquier caso, su recomendación es abandonar los lugares donde está prohibida la práctica del judaísmo y viajar a otras tierras donde no exista este problema, que es precisamente la decisión que él tomó. Así lo expresa con sus palabras:*

> *Si alguien nos pregunta: ¿qué es preferible ser martirizado o confesar la fe en el islam?, le contesto: que confiese y no sea martirizado, pero que no permanezca en los dominios de ese rey, sino que vuelva a su casa hasta que pueda emigrar a otro lugar y si necesita hacer algo, que lo haga en secreto. [...] El consejo que yo me recomiendo a mí mismo y lo que deseo decirme a mí y mis amigos y a todo aquel que me lo pida es que salga de estos lugares y marche a otro sitio en el que pueda practicar su religión y cumplir la Torá sin persecución ni temor. Que abandone su casa, sus hijos y todo lo suyo, pues la religión que Yahvé nos entregó es grande y su obligación es más importante que todos los accidentes efímeros que ocurren ante los ojos de los inteligentes, pues estos no son eternos, pero el temor de Yahvé sí lo es.*

Termina diciendo que si alguien se niega a salir de ese lugar por razones personales o porque tiene miedo del viaje por mar entonces comete un grave pecado y será castigado por Dios. Sin embargo, si por otras razones no puede escapar y practica alguno de los preceptos religiosos, entonces Dios le recompensará, porque está poniendo en peligro su vida.

Mucho se ha hablado de la posible conversión de Maimónides al islam basándose precisamente en lo que él mismo dice en su carta y en el testimonio de Ibn al Qifti, autor egipcio más joven que Maimónides, que afirmó que este se había convertido a la religión musulmana, precisamente para poder permanecer en estas tierras. Dice "se hacía pasar por musulmán limitándose a manifestar las exterioridades del islam, a seguir la lectura del *Corán* y la oración y continuó comportándose de esta manera hasta que tuvo la oportunidad de marcharse". *Sólo por este dato no podemos afirmar con claridad que tal conversión se llevara a cabo, aunque es posible que Maimónides, para evitar la persecución, se comportara como un musulmán de cara al público.*

so ningún problema, precisamente porque el judaísmo cree en un solo Dios, y se convirtieron, aunque continuaron practicando la religión judía en secreto y, por supuesto, siguieron considerándose judíos. Los musulmanes no se preocuparon de comprobar si las conversiones eran sinceras o no y no investigaron la vida privada de los judíos. Eso sí, las manifestaciones públicas y el rezo comunitario estaban prohibidos y podían significar la pena de muerte. Preocupados por la situación que estaban viviendo, los judíos del Magreb consultaron a un rabino sobre la actuación que debían seguir en caso de persecución y este les contestó con una carta en la que condenaba con gran dureza a los que se habían convertido, incluso aunque continuaran practicando el judaísmo en secreto, y daba a entender que era preferible la muerte a la conversión. Los judíos, entre los que se encontraban muchos de los que ya practicaban la religión islámica, se llenaron de temor y pidieron la opinión de Maimónides, que había adquirido gran prestigio en esas tierras como experto en leyes. Este les escribió en árabe una carta en la que expresaba sus opiniones sobre las conversiones al islam.

Médico consultando un manuscrito hebreo de la obra de Avicena, procedente de los círculos intelectuales de médicos judíos italianos de comienzos del siglo XV. Bolonia, Biblioteca Universitaria. Ms. 2297, fol. 4r.

Su estancia en la capital almohade fue decisiva en su formación, sobre todo en el campo de la medicina. A lo largo de su obra menciona la amistad que tuvo con varios médicos famosos de esta ciudad y cómo aprendió esta disciplina practicando con ellos y leyendo las obras científicas de autores clásicos, como Galeno e Hipócrates, y de los grandes médicos musulmanes, como Razes de Persia, Al Farabi, Avenzoar y Avicena. Durante el tiempo que vivió en Fez, escribió un tratado sobre lógica y otro sobre el calendario que se han perdido.

Cuando su maestro Yehudá ibn Sosán murió martirizado, la familia de Maimónides tuvo miedo y decidieron abandonar las tierras almohades en 1165 y marchar primero a Alejandría, en el norte de Egipto, y luego a Jerusalén. Más tarde, Maimónides visitaría la ciudad de Hebrón para ver la cueva en la que, según la tradición, están enterrados los patriarcas bíblicos. No debió de ser muy cómoda la visita de Maimónides a Tierra Santa, pues entonces se encontraba en plena época de las cruzadas; sin embargo, tuvo tiempo de visitar la pequeña comunidad judía de Akko, que estaba dirigida por Rabí Yafet, con quien Maimónides entabló cierta amistad. La familia se quedó a vivir en Akko unos cinco meses tras los cuales se trasladaron a Egipto y se asentaron en el pueblo de Fustat, cerca de El Cairo.

Manuscrito hebreo con textos médicos de Maimónides. Siglo XIV. París, Biblioteca Nacional.

Maimónides en Egipto

En Fustat existía una comunidad judía importante desde el siglo VIII que se había ido asentando en la antigua fortaleza de los bizantinos. Con la construcción de la ciudad de El Cairo, los judíos decidieron trasladarse a la nueva urbe y constituyeron allí el mayor centro judío religioso y cultural de todo Egipto. Cuando Maimónides llegó allí, la comunidad judía vivía una época de esplendor.

Poco tiempo después de que la familia se asentara en ese país, hacia el año 1166, murió el padre de Maimónides. David, su hermano menor, se dedicaba al negocio de las piedras preciosas y mantenía económicamente a la familia, lo que permitía a Moisés poder disponer de tiempo para dedicarse al estudio. Pero la desgracia les golpeó muy pronto de nuevo: en un viaje de negocios por el Océano Índico, David murió víctima de un naufragio. Además de la enorme tristeza que le supuso esta muerte, Maimónides tuvo que tomar las riendas de su familia y ocuparse también de la viuda e hija que había dejado su hermano. Fue así como decidió ejercer la medicina, profesión que le ocuparía a partir de entonces la mayor parte de su tiempo hasta el final de su vida y no sólo se limitó a la práctica de esta profesión, sino que escribió varias obras médicas que tuvieron un enorme éxito en su época y que le han colocado en un lugar importante en la historia de la medicina. La mayor parte de sus escritos sobre esta ciencia fueron encargados por personajes ilustres que sufrían una enfermedad y deseaban que Maimónides les elaborara un tratado en el que les explicara el origen del mal que padecían y les diera algunas recomendaciones sobre su curación. Este hecho fue relativamente frecuente a lo largo de la Edad Media hasta el punto de que podríamos considerar que la evolución de la medicina en este período tuvo una gran dependencia de las enfermedades que sufrieron los reyes, sultanes, visires y otros personajes de importancia. Debido a que a las personas a las que iban dirigidos sus tratados eran musulmanes, nuestro autor los escribió en árabe, aunque muy pronto fueron traducidos al hebreo y al latín.

En 1171 Maimónides recibió el título de jefe de la comunidad judía de El Cairo como reconocimiento a su prestigio como hombre de leyes y a ser experto en teología judía. Ese mismo año subió al poder el sultán Saladino que amplió considerablemente las fronteras de su imperio. Tuvo hacia los judíos una actitud favorable lo que ayudó a que muchos prosperaran durante esa época. Maimónides consiguió llegar a ser médico de la corte del sultán y, aunque no lo trató a él directamente, muchos altos dignatarios se pusieron en sus manos. Fue médico personal del visir Al-Fadil, que gobernó en Egipto mientras el sultán Saladino *el grande*, luchaba en las cruzadas en Tierra Santa. Cuenta una leyenda que Ricardo Corazón de León, mientras participaba en las famosas batallas, oyó hablar de la fama de Maimónides y le pidió que fuera su médico personal, pero éste no aceptó la oferta.

Cuando murió su primera esposa, Maimónides se casó por segunda vez con una hermana de Ibn Almali, secretario del sultán, y tuvo un hijo al que puso por nombre Abraham, quien, a la muerte de su padre, fue nombrado líder de la comunidad judía de Egipto, título que a partir de entonces pasaría a sus herederos. Como su padre, también fue médico y jurista.

En 1193 murió Saladino y le sucedió su hijo mayor Al Afdal Nur al Din Alí. Maimónides también fue médico personal de este sultán y a él le dedicó algunos de sus tratados de medicina.

Los *Aforismos médicos* de Maimónides

Una de las primeras y más conocidas obras médicas que escribió Maimónides, entre 1187 y 1190, contiene 1500 aforismos, la mayoría de ellos sacados de las obras de Galeno, y están agrupados en 25 capítulos que corresponden a las divisiones tradicionales de las especialidades de la medicina: anatomía, fisiología, cirugía, ginecología, farmacología y otras. En ellos se habla de los humores del cuerpo, de la sangría, de los diferentes tipos de

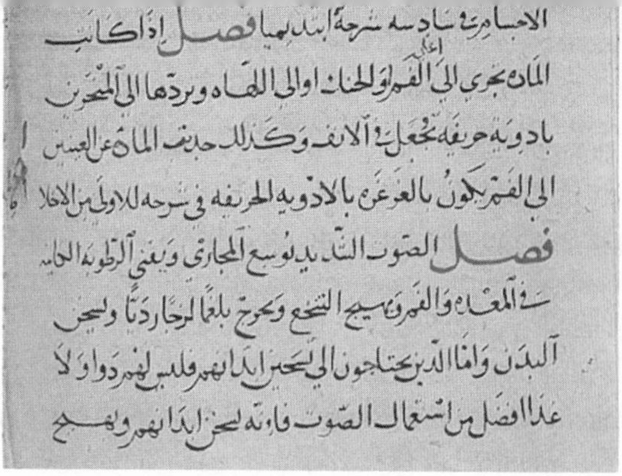

Aforismos médicos de Maimónides. Copia sin datar. Manuscrito sobre papel. Biblioteca del Real Monasterio de San Lorenzo de El Escorial. Ms. árabe 869, fol. 86r.

fiebres, de los laxantes, purgativos y enemas y otros asuntos. Hay capítulos dedicados a la ginecología, a las reglas para la higiene corporal, al ejercicio físico y a otros temas.

Esta manera de exponer conocimientos científicos de forma breve y concisa, y a veces con cierto ingenio, que recibe el nombre de aforismo, fue utilizada con frecuencia en medicina desde los tiempos de Hipócrates; según Maimónides este género literario tiene la ventaja de que las ideas se aprenden y se memorizan fácilmente y se pueden sintetizar en

undíaenlavidademaimónides

En una carta fechada hacia el año 1199, Maimónides nos cuenta el tipo de vida que llevaba en Egipto. Esta misiva iba dirigida a su amigo Samuel ibn Tibbón, que había manifestado su interés por visitar al famoso médico en Egipto, y Maimónides, probablemente para quitarle la idea, le contó el tipo de vida tan ajetreado que llevaba.

> *Vivo en Fustat mientras que el sultán reside en El Cairo; entre ambos lugares hay una distancia de unos cinco kilómetros. Mis obligaciones con el sultán son muy pesadas: tengo que verle a diario, a primera hora de la mañana, pero cuando se encuentra débil o se pone enfermo uno de sus hijos o una de sus concubinas, tengo que pasar la mayor parte del día en su palacio. También ocurre a menudo que uno o dos de sus oficiales caen enfermos y tengo que ocuparme de curarles. Así que lo normal es que vaya diariamente a El Cairo por la mañana temprano y si no hay novedad regreso a Fustat después del mediodía, pero nunca antes.*
>
> *Llego con mucha hambre y me encuentro el vestíbulo de mi casa repleto de gente: judíos y no judíos, importantes y no importantes, jueces e intendentes, amigos y enemigos, todos esperando la hora de*

pocas palabras varias teorías científicas. Un propósito didáctico se esconde detrás de la opinión de nuestro autor, pues este manual probablemente fue utilizado en sus clases de medicina, actividad a la que también dedicó algún tiempo. El sultán Saladino había creado un enorme hospital en El Cairo en 1181 donde se impartían lecciones de medicina tanto a los alumnos como a los médicos que allí trabajaban y estaba dirigido por el médico judío David ben Salomón. Aunque no hay ninguna prueba que lo demuestre, podríamos pensar que Maimónides impartió clases en dicho hospital.

En esta obra el científico cordobés anima a los estudiantes de medicina a evitar prejuicios y experimentar y observar por sí mismos con mentalidad crítica y escepticismo hacia las enseñanzas tradicionales, aunque procedan de doctores eminentes. También destaca la importancia de saber analizar el aspecto de la lengua y el color y el olor de la orina para determinar los pronósticos. Sorprende la mención de la diabetes, porque era una enfermedad casi desconocida en aquellos tiempos. Sobre ella dice Maimónides lo siguiente:

mi llegada. Me bajo del animal, me lavo las manos y me dirijo hacia mis pacientes para que tengan un poco de paciencia y me dejen tomar un ligero refrigerio, la única comida que hago en todo el día. Finalmente les atiendo, les escribo recetas y les doy recomendaciones para sus dolencias. Los pacientes no dejan de entrar y salir hasta el anochecer y a veces incluso, os lo aseguro, hasta dos horas después de que se haga de noche. Hablo con ellos, les receto, les doy instrucciones y acabo totalmente rendido de puro cansancio. Al final ya no puedo ni hablar siquiera debido a mi debilidad.

Después de esto, no tengo tiempo de encontrar ni de hablar con ningún judío hasta el sábado que es cuando viene a verme la comunidad o algunos de ellos. Después de la oración hablo con los que se han reunido sobre lo que hacen cada día de la semana, hacemos algunas lecturas cortas hasta el mediodía y después cada uno toma su camino. A la tarde vuelven unos pocos y leen hasta que anochece. Y así es mi vida diaria. Te lo digo para que consideres si vas a venir o no, pero cuando vengas que sea simplemente de visita, pero no para que te ayude, porque ando muy ocupado.

Izquierda: un médico italiano tomando el pulso a un enfermo. El examen se hace en presencia de una mujer de la familia, que será la que después le cuide. Derecha: el médico sale de la habitación y explica a la esposa y a los hijos la enfermedad del hombre. En la habitación queda el enfermo, probablemente con los criados, y en la mesa los utensilios con las medicinas.
Entre 1438 y 1440. Bolonia, Biblioteca Universitaria, Ms. 2197, fol. 402r (detalle).

No he conocido ningún caso ni en Al-Ándalus ni en Marruecos, ni tampoco la mencionó ninguno de mis maestros. Sin embargo, aquí en Egipto en unos diez años aproximadamente he observado que más de veinte personas la han padecido. De esto podemos deducir que esta enfermedad ocurre principalmente en países cálidos y quizá el agua del Nilo pueda tener alguna influencia en su origen.

El capítulo más interesante de esta extensa obra es el último, porque en él Maimónides mezcla teorías médicas con cuestiones filosóficas e incluso filológicas que están relacionadas con la tradición judía. Parece ser que esta parte fue escrita por su sobrino, Abu-l Maali Yusuf ibn Abdala, tras la muerte de su tío, aunque indudablemente son las opiniones del sabio cordobés las que aquí aparecen.

En este capítulo destacan los comentarios de Maimónides sobre las teorías de Galeno acerca del origen de las lenguas, que opinaba que el griego era la lengua superior, por encima de las demás. Esto implicaba una desconsideración hacia el árabe, el arameo y el hebreo, los idiomas usados por Maimónides, y por eso el médico judío trató de justificar que dichas lenguas están al mismo nivel que el griego e intentó explicar racionalmente por qué las características de cada idioma son diferentes dependiendo del lugar en el que se utiliza.

Maimónides fue un fuerte defensor de las teorías aristotélicas tanto sobre cuestiones de la física del mundo, la metafísica y el origen del Universo, como sobre la fisiología del cuerpo humano y la medicina. Uno de los grandes éxitos de la filosofía de Maimónides fue hacer compatibles las teorías de Aristóteles con las ideas expresadas en la *Biblia*. Así, en sus *Aforismos* arremete contra Galeno precisamente porque sus opiniones contradicen tanto la filosofía aristotélica como la teología bíblica. Maimónides era partidario de la tradición judía que entendía que el mundo había sido creado de la nada, de la que, por voluntad de Dios, surgieron los cuatro elementos de la materia con los que se crearon todos los seres. Atribuye al médico griego múltiples contradicciones en sus interpretaciones

Galeno opinaba que el griego era la lengua más perfecta, la que mejor expresaba la lógica y la que tenía los mejores sonidos; en cambio criticaba la pronunciación de las demás lenguas diciendo que algunas de ellas sonaban como los gruñidos de los cerdos, como el croar de las ranas o como los chasquidos de los cuervos. Según el sabio griego los hablantes de otros idiomas a veces parece que emiten ronquidos o gritos, o hablan tan bajo que casi no se les entiende. Sobre estas afirmaciones, Maimónides comenta lo siguiente:

> *Yo creo que Galeno al decir esto tenía razón. Las diferencias de pronunciación y de los órganos que se encargan de ella dependen de los climas, de la constitución corporal, de la forma de los órganos y de sus medidas internas y externas. En el Libro de los elementos, Abú Naser Alfarabi dijo que la gente que vive en climas templados es más inteligente y, en general, tienen unas formas más agradables, es decir, están mejor constituidos, sus órganos poseen una mejor composición y su complexión está más proporcionada que la de los que viven en los climas más al norte o al sur. También pronuncian mejor las letras y cuando hablan mueven los órganos de la pronunciación de manera más adecuada. Están más próximos al lenguaje humano y su manera de pronunciar es más clara que la de los que viven en climas más lejanos, tal como dijo Galeno. Él no se refería al griego solamente, sino también al hebreo, al árabe, al persa y al arameo. Estos son los idiomas de la gente que vive en climas templados. En cuanto al árabe y al hebreo, es opinión generalizada de los que conocen ambas lenguas que son una sola. El arameo es muy similar y el griego es parecido a esta última. La derivación de las letras de estos cuatro idiomas es la misma y solamente se diferencian en unas pocas, unas tres o cuatro. Sin embargo, el persa es muy diferente y sus letras son bastante distintas. No hay que dejarse engañar por el hecho de que haya gente en climas templados que tenga una mala pronunciación; esto se debe al hecho de que han emigrado a ese lugar desde tierras muy lejanas.*

sobre la creación y se opone, en general, a todos los que como él defienden la eternidad del mundo, porque niegan la voluntad divina.

Maimónides también critica a Galeno por oponerse a las teorías de Aristóteles sobre la importancia del corazón sobre los demás órganos del cuerpo. Según Galeno, existen tres órganos fundamentales -el corazón, el cerebro y el hígado-, que no necesitan el uno del otro para realizar sus funciones y afirmaba que *"el poder de las sensaciones y el movimiento, así como la memoria, el pensamiento y la imaginación se originan en el cerebro sin intervención del corazón; es decir, que aquel no recibe ninguna fuerza de este"*. Sin embargo, Aristóteles sostenía que este último es el órgano principal del cuerpo humano sin cuya fuerza los demás no pueden realizar sus funciones vitales; el cerebro, por lo tanto, necesita del corazón para producir los pensamientos y las sensaciones.

Tratado sobre el asma

Hacia el año 1190, Maimónides escribió su *Tratado sobre el asma* que, aunque está dedicado a esta enfermedad y a los medios para curarla, a base de dietas alimenticias, baños y masajes, la mayor parte de la obra contiene consideraciones generales sobre la salud. Esta es una de las características más llamativas de los escritos médicos de este autor: aunque la mayoría de ellos están dedicados a una única enfermedad y, en algunos casos, incluso a un enfermo concreto, Maimónides no se limita a estudiar los casos específicos, sino que, desde una visión más amplia de la ciencia, analiza cuestiones generales de la medicina con la intención de llegar a un público más amplio y conseguir una mayor repercusión.

Insiste mucho en la importancia de la dieta para el tratamiento de las enfermedades y, sobre todo, recomienda evitar aquellos alimentos que producen humores malos. También recomienda la siesta después de las comidas. Habla sobre el orden en que se deben tomar los alimentos y sobre el número de veces en que se debe comer a lo largo del día. Entre las bebidas beneficiosas para el cuerpo, Maimónides menciona el vino, a pesar de ser una obra dirigida a un musulmán; de él dice que en exceso es malo, pero en pequeñas dosis ayuda a digerir los alimentos. Es posible que tuviera en mente que su libro podía llegar a lectores no musulmanes, para quienes esta recomendación resultaría útil.

Hace referencia a la importancia del sexo para la salud y dice que al ser humano le conviene disminuir su práctica a medida que se hace mayor. Según él, la disminución de la práctica sexual *"contribuye a ayudar al alma y a la adquisición de virtudes como la honestidad, la vergüenza y la piedad"*.

Botica del norte de Italia de 1438-1440. Bolonia, Biblioteca Universitaria, Ms. 2197, 492r (detalle).

Maimónides concedía una especial importancia al papel del alma en la curación de las enfermedades. En este tratado recomienda el estudio de la filosofía como método para fortalecer el espíritu y ayudarle a controlar las funciones de los órganos del cuerpo. Dominar los estados de ánimo, especialmente la alegría exagerada o el excesivo dolor, es fundamental porque afectan a la salud del cuerpo. También recomienda el conocimiento de los principios morales y éticos porque ayudan a relativizar las actividades del mundo que nos rodea y especialmente los éxitos y los fracasos.

En esta obra también trata Maimónides uno de sus temas favoritos: la enorme diferencia entre el médico racionalista y el médico empírico. El buen médico es el que sabe unir razonamiento y experiencia, entendiendo esta última no como la propia, sino la adquirida a lo largo de generaciones por los profesionales más ilustres, y añade: *"el que se pone en manos de un médico que tiene experiencia, pero no conoce el método racional, es como el que se echa a la mar y se pone a merced de los vientos que no se guían por un criterio racional".* Seguramente, el recuerdo de la muerte de su hermano David no se le había borrado de la memoria.

La petición del sultán sirio Al-Malik ben Ajub

En 1190 Maimónides recibió una petición bastante inusual del sultán de Hama, en Siria, Al-Malik al Mustafar ben Ajub, que gobernó de 1186 a 1191 y que era nada menos que sobrino de Saladino *el grande* de Egipto. Este príncipe musulmán se sentía incapaz de satisfacer sexualmente a las muchas concubinas que habitaban su palacio y quería que Maimónides le escribiera un tratado sobre cómo aumentar su potencia sexual. En su petición también

recomendaciones sobre el sexo

En su Tratado sobre el coito, *Maimónides sostiene que, por regla general, aumenta el deseo sexual todo aquello que contribuye a mejorar la calidad de la sangre y todo lo que hidrata e incrementa la humedad del cuerpo. Entre los derivados de animales menciona la carne de cordero y de paloma, los sesos de pollo, el tuétano y los huevos de algunas aves. Entre los vegetales que actúan como afrodisíacos menciona el nabo, la cebolla, preferentemente asada, la menta, los guisantes, las judías y los espárragos. Los frutos secos y las uvas ayudan a la erección y, por supuesto, la leche. El vino también es recomendable* "porque la sangre que produce es caliente e hidratante, alegra el alma e incita al sexo, pues tiene una capacidad especial para llenar las cavidades de sangre y producir el movimiento de la erección". *También dice que es muy buena el agua ferruginosa y hacer caldos con ella* "porque fortalece la erección y da fuerzas a los órganos internos". *Encontramos en todas estas observaciones uno de los principios fundamentales de la magia que se basa en la asociación de ideas similares y consiste en creer que lo semejante produce lo semejante; es decir, todos aquellos alimentos que por su forma o su consistencia son similares al pene en estado de erección producen este efecto al ser consumidos.*

Se incluyen en la obra algunos otros consejos para prolongar la erección y evitar la eyaculación, como masajear el pene con una sustancia a base de aceites de zanahoria, rábano y mostaza mezclado con un tipo de hormigas de color azafrán. El masaje debe hacerse entre dos y tres horas antes de practicar el sexo y después lavarse con agua templada. Dar masajes en los pies para calentarlos, sea en invierno o en verano, es muy recomendable, porque "cuando se enfrían los pies disminuye la erección".

decía que, aunque había perdido fuerzas y se sentía muy débil, en ningún momento había dejado de practicar el sexo.

Para satisfacer tal petición Maimónides escribió su *Tratado sobre el coito*. La obra consiste fundamentalmente en una serie de recetas de comidas y medicinas que actúan como afrodisíacos o producen el efecto contrario. Recomienda algunas actitudes y sentimientos que benefician al sexo, como la risa, la felicidad, el descanso y el sueño, si no es excesivo; por el contrario, la tristeza, la ansiedad, el ayuno, el cansancio y el excesivo trabajo afectan negativamente a la erección y disminuyen el esperma.

Cita la opinión de algunos médicos que piensan que el apetito sexual disminuye si se practica el sexo con muchas mujeres, o con ancianas, o con niñas, o con las que llevan mucho tiempo sin tener una relación, o con aquellas que están en el período de la menstruación o enfermas. Señalan además estos médicos que cuando las mujeres llegan a la menopausia anulan el deseo sexual de los hombres.

El problema de las hemorroides

Las hemorroides debían de ser un problema bastante frecuente en la época antigua y medieval porque se escribieron muchos tratados sobre esta enfermedad indicando diversos métodos de curación. Sobre ella escribieron Hipócrates y Galeno y, ya en la Edad Media, Avicena y el médico andalusí Abulcasim al-Zahrawi, que recomienda la cirugía como mejor solución. Maimónides también contribuyó al estudio de este problema con su *Tratado sobre la curación de las hemorroides*, escrito para un personaje importante, de familia noble y muy poderosa, probablemente cercano a la familia del sultán, pero del que el autor no nos dice el nombre, quizá porque el que se lo encargó prefirió quedar en el anonimato.

Maimónides rechaza totalmente la cirugía porque este método terapéutico había adquirido mala fama a partir de Galeno y recomienda buscar la solución analizando la causa de la enfermedad: si las hemorroides son producidas por una mala digestión del estómago, tal como él defendía, entonces la curación dependerá de una dieta adecuada. Recomienda el limón, verduras como las acelgas y las espinacas, la carne de gallina, el aceite de sésamo y otros alimentos. A diferencia de otros tratados sobre el tema, Maimónides insiste aquí en el aspecto preventivo de la enfermedad. En general, en la medicina medieval se intentaba primero curar con medidas dietéticas y preventivas y si estas no funcionaban se recurría a los medicamentos; las intervenciones quirúrgicas se reservaban para los casos más graves una vez que se habían agotado los métodos anteriores.

La carta a los judíos de Montpellier

En esos años recibió Maimónides una carta en la que los rabinos de Montpellier le contaban que se sentían muy interesados, y en cierta medida preocupados, por el auge que la astrología estaba teniendo en el sur de Francia y le pedían que les resolviera algunas dudas y cuestiones. En primer lugar, querían saber si realmente era posible predecir el futuro, tal como afirmaban los astrólogos, y, en caso afirmativo, les interesa conocer la manera de evitar las desgracias que anunciaban los astros. En segundo lugar, manifestaban sus inquietudes acerca de esta idea, porque pensaban que el hecho de creer en la influencia de los astros en la vida del hombre y su destino podía poner en peligro creencias religiosas fundamentales para el judaísmo como la omnipotencia de Dios, la libertad del ser humano y el valor de la oración. Maimónides respondió en el año 1194 con una larga misiva en la que rechazaba claramente la astrología, aunque reconocía el valor de la astronomía y de otras ciencias como las matemáticas y la aritmética.

Comentario a los aforismos de Hipócrates

Los *Aforismos* de Hipócrates, la obra más importante de este prestigioso médico griego, tenía un carácter enigmático y misterioso y dio lugar, ya desde la Antigüedad, a numerosos escritos que la explicaban y comentaban, el más famoso de los cuales fue el de Galeno. La obra original de Hipócrates fue traducida al árabe por Hunain ibn Ishaq en el siglo X y Maimónides escribió su propio comentario basándose en esta traducción. Lo terminó hacia el año 1195 y la importancia que él daba a la obra de Hipócrates se descubre en su recomendación de que los médicos deberían aprendérsela de memoria.

Llaman la atención sus opiniones sobre los dos grandes profesionales de la medicina del mundo antiguo, Galeno e Hipócrates, a quienes critica duramente como nadie antes se había atrevido a hacerlo, ni siquiera médicos musulmanes de la talla de Averroes. Del primero dice, por ejemplo, que no se atrevió a criticar a Hipócrates ni siquiera en hechos científicamente demostrados, debido al prestigio que este tenía, y por eso lo disculpaba constantemente diciendo que tal o cual opinión no la podía haber tenido este, sino que otros se la habían atribuido a él o se trataba de otra persona con el mismo nombre.

Astrónomo consultando la posición del Sol en un astrolabio.

cartasobrelaastrología

En su carta a los rabinos de Montpellier, Maimónides expone sus opiniones sobre las ciencias en general y sobre la astrología en particular. Estos son algunos de sus párrafos:

Sabed, señores, que el hombre no debe creer en nada que no se base en uno de estos tres enunciados: primero, aquello que sea evidente para el intelecto, como las matemáticas, la aritmética o la astronomía; segundo, lo que se percibe por los cinco sentidos; y tercero, todas las verdades que los seres humanos han recibido de los profetas y de los hombres justos. Todo ser racional tiene que usar su intelecto y su razón para distinguir, según estos tres enunciados, todas las verdades en las que cree y decir: creo en esto por la tradición, en esto otro por la percepción y en lo de más allá gracias a la razón. [...]

Sabed, señores, que todo lo que se relaciona con "lo que decretan las estrellas" -cuando dicen que algo ocurrirá así y no de otra manera, que el día del nacimiento de alguien le condiciona su carácter y determinadas cosas que le van a suceder- es absolutamente absurdo y falso. [...]

Sabed, señores, que la verdadera ciencia que se ocupa de las estrellas es la que nos permite conocer la forma de las esferas, su cómputo y dimensiones, el curso de su movimiento y el tiempo que emplea cada una de ellas, su inclinación hacia el norte o hacia el sur, su rotación hacia el este o el oeste, la órbita de cada estrella y cómo es su curso. Sobre todos estos temas y otros similares escribieron libros los sabios griegos, persas e indios, pues es una ciencia muy importante.

Sobre la cuestión del poder que ejercen los astros en los seres humanos, Maimónides admite que es cierto pero añade que se produce gracias a la fuerza que Dios les ha otorgado y que, en cualquier caso, los seres celestiales están sujetos a la voluntad divina y son instrumentos de su justicia. Además insiste en la idea de que, según la religión judía, el ser humano es dueño de sus actos y no está determinado por el día de su nacimiento.

A pesar de su rechazo de la astrología, Maimónides tenía un gran respeto por la astronomía y a esta ciencia le dedicó un tratado, dentro de su obra sobre las leyes judías titulada Misné Torá*, en la que enseña los conocimientos astronómicos necesarios para fijar con exactitud el calendario judío.*

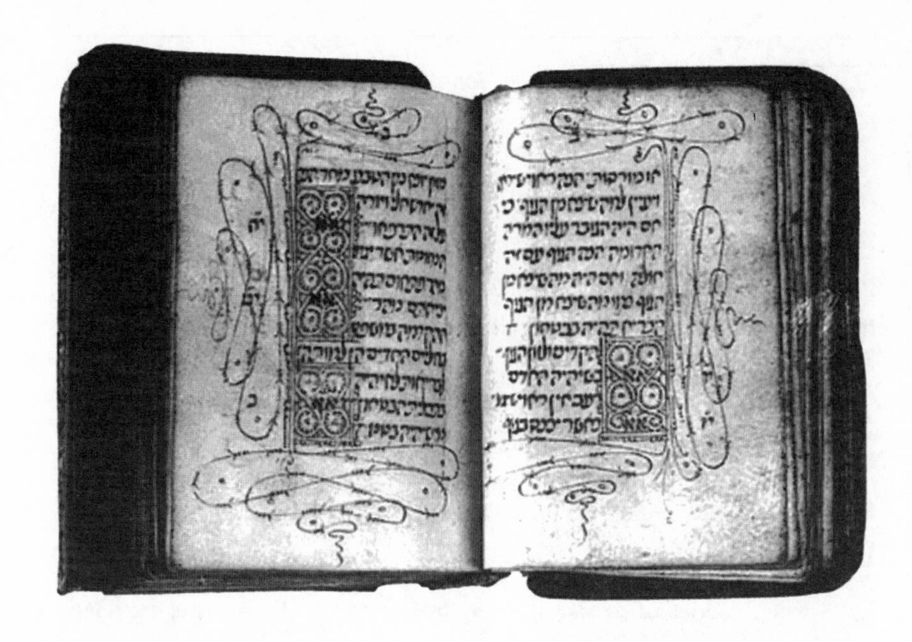

Aforismos médicos **de Maimónides. Edición en hebreo. España. Siglo XV. Pergamino. Nueva York, Biblioteca del Jewish Theological Seminary of America. Ms. 8241, fols. 14v-15r.**

De entre todos los comentarios a los aforismos de Hipócrates que escribió Maimónides el más interesante es el primero porque sobre él se extiende abundantemente y además se aparta de las opiniones de Galeno.

Dijo Hipócrates: "la vida es corta y largo el arte, la ocasión fugaz, la experiencia peligrosa y el razonamiento difícil: es necesario trabajar por sí mismo todo lo posible, pero conviene que nos secunden el enfermo, los que le asisten y el ambiente y medio externos".

Maimónides comienza cuestionando los conceptos de corto y largo por ser relativos y especifica que el arte al que se refiere Hipócrates es la medicina, que es más larga que otras artes teóricas y prácticas porque se divide en tantas ramas, tal como estableció el filósofo árabe Al-Farabi, que no se pueden asimilar en toda una vida. Conocer bien el cuerpo humano con todos sus órganos, la higiene corporal, las enfermedades, los síntomas y

Maimónides también expresa su rechazo de la afirmación hipocrática de que los varones nacen del ovario derecho y las hembras del izquierdo, y añade: *"hace falta ser un genio o un profeta para saber esto".*

Sobre los animales venenosos

Un día del año 1198 el visir Al-Fadil observó cómo un animal venenoso mordió a una persona y esta murió antes de que nadie pudiera salvarla. Impresionado por este hecho, pidió a Maimónides que escribiera un tratado sobre los remedios contra las mordeduras de serpientes y perros rabiosos y las picaduras de escorpiones, avispas, abejas y arañas. Maimónides escribió ese mismo año un manual de uso práctico, no un tratado amplio y detallado, titulado *Tratado contra los venenos*, para que pudiera usarse en casos de emergencia mientras se esperaba la llegada del médico o se llevaba al enfermo a un hospital para recibir el antídoto necesario. Era una especie de primeros auxilios en caso de mordedura o picadura venenosa.

Lo primero que recomienda Maimónides es hacer un torniquete para evitar que el veneno pase a la sangre y se extienda por todo el cuerpo, morder en la herida y escupir el veneno, habiéndose enjuagado previamente la boca con aceite para impedir que

cómo interpretarlos, los instrumentos que se deben utilizar, las sustancias necesarias para la elaboración de medicamentos y adquirir otros conocimientos necesarios para la práctica de la medicina requiere mucho tiempo. Este es el significado de la vida es corta y largo el arte.

La ocasión fugaz *quiere decir, en opinión de Maimónides, que el tiempo que dura una enfermedad es limitado y demasiado corto para llegar a entenderla por experiencia.* El razonamiento difícil *hace referencia a la dificultad que existe para juzgar cómo va a transcurrir una enfermedad, si el paciente se va a recuperar o no o si va a ocurrir algo imprevisto. Para explicar el peligro en la experiencia del aforismo hipocrático, Maimónides sigue la interpretación de Galeno, que lo relacionaba con el peligro de caer en manos de médicos inexpertos pues, aunque tengan mucha experiencia, carecen del conocimiento suficiente para tratar a los enfermos. Sobre la última parte del aforismo, el médico judío explica que se refiere a que para curarse es necesaria la cooperación del propio enfermo y de los que le rodean.*

el que muerde absorba el veneno: los mismos métodos que aún hoy se siguen recomendando.

A la hora de aplicar los antídotos Maimónides dice que hay que tener en cuenta el temperamento del paciente y la época del año en que sucede el envenenamiento. Entre los remedios contra los venenos recomendados en el tratado, llaman la atención aquellos que tienen que disolverse en vino, pues hay que tener en cuenta que el manual está destinado a musulmanes. Maimónides, consciente de la prohibición de esta bebida en el islam, aconseja una solución de anís cocido en agua como sustituto.

Algunas de las recomendaciones de Maimónides sobre los venenos debieron de ser tenidas en cuenta de manera especial en épocas en que eran utilizados con frecuencia para acabar con la vida de rivales políticos. Así, él llama la atención sobre el cuidado que deben tomar las personas que ocupan puestos importantes contra el riesgo de ser envenenados porque los colores o los olores de ciertas comidas y bebidas pueden ser sospechosos. Esto no ocurre con los alimentos que se han cocido simplemente con agua, porque el más ligero cambio de olor o de sabor se puede apreciar. En términos generales, afirma Maimónides, *"el que piense que se puede envenenar a una persona con un tóxico que no tenga ni olor, ni sabor, ni color, ni cambie la sustancia en la que se echa es que no tiene ni idea de medicina, porque todas las sustancias venenosas huelen y saben mal y cambian el aspecto del alimento en el que se echan".* De todas maneras, advierte que hay que comer sólo aquello que preparan las personas de confianza y tener mucho cuidado con el vino porque los venenos que se mezclan con él son más difíciles de detectar. Llama también la atención sobre el

Tratado médico en romance con caracteres hebreos. Provenza (?), siglo XV. Cambridge, Biblioteca de la Universidad, Ms. Add. 1198/3, fol. 5v.

peligro de las setas, ya que dice que se consumen mucho, tanto en oriente como en occidente. En cualquier caso, siempre recomienda que, en caso de duda, hay que provocarse el vómito y expulsar la sustancia venenosa.

Cuenta también Maimónides casos curiosos que él ha oído, como el de algunos maridos que fueron envenenados por sus esposas con sangre de su propia menstruación. Reconoce que nunca ha leído nada sobre este asunto y parece no darle mucha credibilidad.

Tratado sobre el régimen de la salud

El *Tratado sobre el régimen de la salud* fue escrito en el año 1198 para el sultán Al-Afdal, el hijo mayor de Saladino *el grande*, que se lo pidió a Maimónides porque padecía indigestiones, estreñimiento y depresión. El mensajero que le trajo el encargo contó que el sultán tenía problemas con las heces fecales porque estaban muy secas y le costaba mucho esfuerzo expulsarlas. También le dijo que a veces se sentía confundido, tenía *"pensamientos negativos"* y mucho miedo a la muerte. Maimónides aprovechó la ocasión para elaborar una obra en la que no se iba a limitar a aconsejar al sultán cómo solucionar sus problemas, sino que trataría de ofrecer, con una perspectiva más amplia, un compendio de las recomendaciones más importantes que se deben seguir para mantener la salud y evitar las enfermedades.

TRACTA.
tus Rabbi Moysi de regimine sanitatis ad Soldanum Regem.

Traducción al latín del *Tratado sobre el régimen de la salud* de Maimónides, titulado *Tractatus Rabbi Moysi de regimine sanitatis ad Soldanum Regem.* Madrid, Biblioteca Nacional, Ms R/13764, fol. 2r.

En la primera parte de la obra habla sobre los principios generales en los que se basa el régimen de salud correcto: la gimnasia y la buena alimentación. Una de sus máximas fundamentales es esta: *"el hombre que se cuide a sí mismo como al animal que monta estará libre de muchas enfermedades".*

Recomienda no saciarse demasiado, tomar un solo plato por comida e incluso quedarse con un poco de hambre al final. La cantidad que se debe consumir depende de la época del año: menos en verano que en invierno. Entre las comidas recomendables menciona el pan de trigo, la carne de cabrito y cordero añojo, la de gallina, paloma, tórtola y las yemas de huevos de gallina. La mejor carne es la de ternera sin grasa. Desaconseja la pasta, como los tallarines y los fideos, y las gachas, los buñuelos y los bizcochos. Considera el vino como *"la mejor de las exquisiteces"* y además dice que *"alimenta mucho, es bueno, ligero y ayuda a digerir los alimentos"*, pero es consciente de que está prohibido para los musulmanes por lo que no se extiende demasiado en sus alabanzas. Aunque recomienda la leche, desaconseja sus derivados, como el queso, porque tiene mucha grasa; por esta misma razón dice que hay que evitar los pescados grandes. Recomienda comer fruta antes de las comidas, no después: las uvas y los higos son las mejores; los melocotones y los albaricoques, las peores. Termina diciendo que la siesta después de las comidas es muy aconsejable. En casos de estreñimiento, como el del sultán Al-Afdal, aconseja Maimónides cocinar un caldo a base de zumo de limón, gallina, semilla de azafrán, acelgas y azúcar.

El ejercicio físico, que ayuda a eliminar muchas toxinas del cuerpo, es muy recomendable, aunque debe practicarse con cuidado y moderación, preferentemente al amanecer o al atardecer y después de hacer las necesidades.

Uno de los aspectos más interesantes del tratado son las referencias a la influencia psicosomática en las enfermedades que resume en la frase *"las afecciones psíquicas alteran mucho el cuerpo"*. Por esta razón, una buena o una mala noticia modifica el rostro de quien la recibe y cambia su color, su mirada, su aspecto e incluso su voz; en algunos casos, las peculiaridades psíquicas pueden influir en la manera de moverse. Recomienda que los que sufren enfermedades como la obsesión (neurosis) o los que tienen deseos de huir de la sociedad, aunque no tengan ningún motivo para hacerlo (paranoia), no deben recurrir a la medicina, sino a la filosofía y a la ética. La primera enseña a adquirir y mejorar las virtudes y cualidades del alma, mientras que la segunda —que para Maimónides se basa en las leyes y enseñanzas de los profetas de la *Biblia*— ayuda a rectificarlas. La filosofía también es un buen instrumento para relativizar muchas de las situaciones de nuestra vida: no es recomendable alegrarse excesivamente cuando le llega al hombre una buena noticia, ni deprimirse cuando se recibe una mala. No sirve de nada pensar en lo malo que ya ha ocurrido, porque es inevitable, ni en lo que va a suceder, porque siempre entra dentro del juego de las posibilidades, es decir, puede ocurrir o no, en cuyo caso recomienda confiar en la voluntad divina.

Maimónides concebía al ser humano como un compuesto de alma y cuerpo en el que ambas partes estaban íntimamente conectadas; por esta razón la medicina, la filosofía y la teología se complementan y se ayudan al servicio de la salud física y mental del hombre.

Se insiste también en la obra en que la influencia de la mente humana en el enfermo es un buen mecanismo que ayuda a recobrar la salud, por eso se recomienda fortalecer las facultades psíquicas del convaleciente con buenos olores, como los perfumes derivados del ámbar y la albahaca, y contándole historias alegres y divertidas, a ser posible acompañadas con música, que le hagan reír y le entretengan, pero cuando el médico no esté presente.

Sangría practicada por un médico. Italia, en torno a 1438-1440. Bolonia, Biblioteca Universitaria, Ms. 2197, fol. 492r (detalle).

En la última parte, Maimónides incluye algunas consideraciones generales sobre la influencia en la salud de elementos externos. Habla de la contaminación del aire en las ciudades, en cuyas calles estrechas los habitantes arrojan basuras y alimentos corrompidos que, junto con los excrementos de los animales, contribuyen a crear un aire sucio y viciado. Acerca de las medicinas, llama la atención sobre el peligro de que el cuerpo se habitúe a ellas y opina que, cuando se trate de problemas menores, es mejor que sea la propia naturaleza la que cure al enfermo. Llama la atención sobre los peligros de practicar el sexo a los ancianos,

Misné Torá **de Maimónides. Comienzo del Libro II. Manuscrito copiado en España en torno a 1350 e iluminado en Perugia (Italia) alrededor de 1400. Jerusalén, Jewish National and University Library.**

a los convalecientes y a los hombres de constitución seca. No es bueno realizar el acto sexual mientras se hace la digestión, o cuando se tiene hambre o sed, o estando borracho y, en cualquier caso, hay que evitar obsesionarse demasiado con ello. El baño es bueno si se toma cada diez días y, si se practica a diario, no es recomendable permanecer en él mucho tiempo. Es aconsejable tomarlo con el estómago vacío y descansar después un rato.

La obra fue traducida al hebreo por Moisés ibn Tibbón en 1244, y de este idioma al latín por Armengaud Blasi en 1290 y por Juan de Capua a finales del siglo XIII. Tuvo un gran éxito en la Edad Media y se enseñaba en las academias y universidades de Europa.

Medicina y derecho judío

Durante los años en que Maimónides se dedicó a escribir y practicar la medicina en Egipto, también se ocupó en el estudio del derecho judío y llegó a ser un prestigioso rabino. Su fama traspasó las fronteras del país del Nilo y desde los más remotos lugares recibía preguntas sobre cuestiones legales de toda índole. Maimónides ocupa un lugar privilegiado en la historia del judaísmo por haber elaborado la obra cumbre del derecho judío en la Edad Media, la *Misné Torá*, que en hebreo significa *la segunda Torá* o *la repetición de la Torá*. Tras más de diez años de trabajo, en 1180 Maimónides terminó esta enciclopedia de catorce tomos en la que no sólo se recogen de manera sistemática y organizada las leyes de la *Biblia* y del *Talmud*, sino que además se explican de forma racional y haciendo uso de la ciencia de la época, sobre todo de la medicina. Maimónides quiere justificar que las leyes religiosas del judaísmo, sobre todo aquellas que se refieren a la alimentación, están en consonancia con las teorías médicas fundamentales, porque unas y otras tienen como objetivo mantener la salud del cuerpo y del alma.

A pesar del enorme valor que Maimónides concedía a las leyes judías, considera que todas ellas deben ser olvidadas cuando una vida humana está en peligro; es decir, que se puede violar el precepto del sábado, ingerir alimentos prohibidos e incluso comer en el día del ayuno cuando se trata de un asunto de vida o muerte. En el tratado sobre las prescripciones del sábado, Maimónides menciona una serie de situaciones en las que la santificación de este día, que prohibe realizar cualquier tipo de actividad, debe dejarse a un lado cuando una persona está gravemente enferma, y mucho más si su vida corre peligro. En los detalles que especifican cuándo se considera que una persona se encuentra en este estado es donde el autor demuestra sus conocimientos científicos. Así, por ejemplo, especifica que

> *cuando una persona sufre una herida interna, es decir, desde los labios hacia adentro -en la boca, en el vientre, en el hígado, en el bazo o en cualquier otro órgano interno- se puede considerar que está gravemente enfermo y no necesita ningún análisis previo para determinar la gravedad de la enfermedad; por lo tanto, se puede violar la santidad del sábado de manera inmediata, sin mayor inconveniente. Si una herida en el dorso de la mano o en una pierna se considera que es interna y no hace falta evaluar su gravedad, también se puede violar la santidad del sábado para curarla. También se considera herida interna la fiebre acompañada de escalofríos. De la misma manera, en el caso de cualquier enfermedad sobre la que digan los médicos que es peligrosa, aunque solo afecte a la piel por fuera, se puede violar el precepto del sábado basándose únicamente en el testimonio del médico.*

Es importante destacar el hecho de que para Maimónides tan importante es la salud del cuerpo como el estado mental o emocional de las personas y esto le lleva a mencionar situaciones en las que la religión judía puede ser violada con tal de lograr un buen estado emocional. Afirma que si a una persona le muerde un escorpión o una serpiente en sábado, está permitido lanzar un hechizo contra el envenenamiento —aunque la religión judía prohibe totalmente esta práctica— si con ello se consigue que la persona se tranquilice y se sienta aliviada. También destaca situaciones en las que la no observancia de las prácticas religiosas está disculpada, como por ejemplo si una persona se encuentra en un estado de preocupación o con el ánimo inquieto: es el caso del novio que en su noche de bodas está preocupado por consumar el matrimonio y se olvida de recitar sus oraciones.

En sus interpretaciones de la *Biblia* tiene muy en cuenta su perspectiva como médico. Después de afirmar que la mayoría de las enfermedades se producen por las malas comidas o por el exceso de alimento, cita el versículo *quien guarda su boca y su lengua guarda su alma de angustia* (Prov 21,23) y explica que se refiere al que guarda su boca de comer alimentos que son perjudiciales y de saciarse y su lengua de hablar excepto cuando es necesario. Lo que es interesante de este comentario es que Maimónides aplica el versículo bíblico a la salud del ser humano, aunque en su origen la recomendación se refería exclusivamente a la prudencia que se debería guardar a la hora de hablar.

Últimos años de su vida

Hacia el año 1200, Maimónides escribió una de sus últimas obras: el *Tratado sobre las causas y los síntomas*. El sultán al que Maimónides dedica el tratado, del que no se menciona el nombre aunque muy posiblemente se trataba del propio Al-Afdal, tenía problemas para hacer la digestión, sufría de hemorroides, dolores de cabeza y dificultades para concentrarse, y en ocasiones pasaba por momentos de depresión. Parece ser que este sultán quería consultar la opinión de Maimónides para contrastarla con la de otros médicos que lo estaban tratando en ese momento y por eso su petición iba acompañada de su historial médico. Nuestro autor plantea la obra como si se tratara de una discusión científica entre profesionales de la medicina en la que compara las distintas opiniones de los doctores que están tratando al sultán con la suya propia.

Fiel a su enfoque psicosomático de la medicina, Maimónides recomienda al sultán que, para evitar la depresión, se aleje de las malas compañías y tome bebidas frescas, entre las que menciona el vino, porque facilita la digestión, purifica la sangre y proporciona sueños profundos, fundamentales para conseguir la tranquilidad de espíritu que tanto necesitaba el sultán. Consciente del problema que podía suponer a un musulmán el consumo de alcohol, nuestro autor le pide perdón al final por recomendarle beber vino, aunque sigue considerando que esta recomendación es de carácter general y no obliga al sultán a seguirla. Aprovechando este asunto, Maimónides añade al final del libro unas reflexiones sobre el valor de la salud, por encima de las cuestiones religiosas, en las que se aprecia un profundo espíritu científico y racional.

A lo largo de la obra encontramos recetas de cocina apropiadas para las distintas estaciones del año; así, por ejemplo, Maimónides dice que el pollo con almendras y zumo de limón o vino blanco es muy adecuado para el verano; con pasas y un poco de vinagre es apropiado en cualquier época del año. También incluye la receta del hidromiel, una bebida muy recomendable para personas que necesitan dietas ricas en azúcar.

Recogida de hierbas para la elaboración de la triaca. *Tacuinum sanitatis in medicina*. Ms. Fac. 343. Biblioteca Nacional de Austria.

En algunas de las recomendaciones que Maimónides incluye en su tratado se puede apreciar el refinamiento de la vida de palacio. Así, aconseja al sultán que, después de comer, haga lo siguiente:

> *Debe echarse a dormir. Un artista del palacio debe cantar, mientras toca la lira, durante una hora; después, debe bajar la voz poco a poco, acariciando las cuerdas y suavizando las melodías hasta que el sultán caiga en un sueño profundo; entonces se callará. Los médicos y los filósofos opinan que el sueño que se consigue de este modo otorga al espíritu una buena naturaleza, lo ensancha y mejora su control sobre el cuerpo. Después de levantarse debe pasar el resto del día leyendo textos her-*

el médico ante la religión

En uno de los capítulos más interesantes del Tratado sobre las causas y los síntomas, *Maimónides hace una serie de consideraciones sobre el papel del médico ante la religión, muy diferentes de las que encontramos en el resto de sus obras. Aquí parece adoptar una posición eminentemente científica y relega las consideraciones religiosas a un segundo plano:*

> *El médico está obligado por razones profesionales a recomendar un régimen beneficioso para la salud, independientemente de si está prohibido o permitido, y es el paciente el que tiene la libertad para seguirlo o no. Por el contrario, si el médico se calla y no dice todo lo que es recomendable, se le puede acusar de fraude porque no está cumpliendo con sus obligaciones con respecto a la salud. Ya se sabe que la religión obliga a practicar lo útil y prohíbe lo que puede causar daño para el mundo futuro, mientras que el médico aconseja lo beneficioso para el cuerpo y previene contra lo dañino en este mundo. La diferencia entre los mandamientos religiosos y las normas médicas es que la religión se aplica a lo positivo para el mundo futuro y obliga a ello y rechaza todo lo que es perjudicial para él y lo castiga. Sin embargo, la medicina se ocupa de lo beneficioso, advierte contra lo perjudicial, pero ni obliga ni castiga. La responsabilidad para seguir las indicaciones queda en manos del paciente, que tiene libertad de elección. La razón es evidente: en medicina se ve inmediatamente el daño o el beneficio que produce un remedio, y por lo tanto no hace falta obligar ni castigar; pero el daño o el beneficio de las leyes religiosas y sus prohibiciones no es tan evidente en este mundo. Hay ignorantes que piensan que todo aquello de lo que se dice que es dañino en realidad no lo es, ni tampoco todo sobre lo que se dice que es útil, porque no se puede palpar. Pero la religión manda hacer el bien y castiga al que practica el mal pero esto tendrá lugar en el mundo futuro.*

Es probable que, debido a que el texto está dirigido a un musulmán, la intención de Maimónides sea recomendar a su cliente que no se preocupe demasiado en practicar las leyes religiosas porque su salud es lo más importante.

mosos o hablando con alguien con el que se sienta a gusto. Esto es lo mejor que se puede hacer: compartir vida social con personas agradables bien por su refinamiento, bien por el placer de contemplarlas o bien por su manera de razonar. Todo esto ensancha el alma y aleja los malos pensamientos.

Continúa recomendándole que por la tarde tome algo de comer y beba un poco de vino en pequeñas dosis hasta media hora antes de la cena. Para los días que toma un baño le aconseja hacer antes ejercicio físico y dormir un poco después, por supuesto acompañado de música. En cuanto a las relaciones sexuales, le indica que las practique justo después de hacer la digestión y a ser posible cuando se ha tomado un poco de vino durante la comida, pero nunca con el estómago vacío o cuando está completamente lleno.

La carta a su hijo Abraham

Al final de su vida Maimónides nos cuenta que se sentía delicado de salud y que esto le impedía servir a Dios correctamente, aunque pensaba que éste comprendería su situación y sabría perdonarle. Fue por estos años cuando escribió una carta a su hijo en la que expone las conclusiones de tipo ético y moral a las que ha llegado finalmente después de reflexionar toda su vida. En sus palabras se aprecia la preocupación constante que tuvo Maimónides a lo largo de su existencia de buscar siempre la salud del cuerpo como base para la perfección del alma. Según él, *"la perfección del cuerpo es como la llave que abre el interior de un palacio; por eso lo esencial de mis principios morales res-*

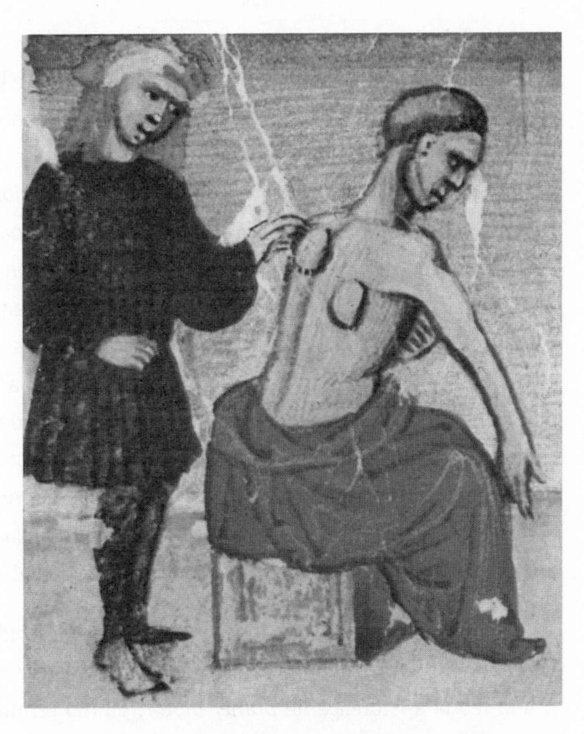

Aplicación de ventosas por un médico. Italia, en torno a 1438-1440. Bolonia, Biblioteca Universitaria, Ms. 2197, fol. 492r.

pecto a las excelencias de vuestro cuerpo y a la perfección de vuestra conducta ética tiene como finalidad abriros la puerta del cielo".

No faltan en su carta recomendaciones sobre la salud: comer lo suficiente para vivir y evitar los excesos, porque si uno se alimenta más de lo debido *"su cuerpo se quedará extenuado, su inteligencia anulada y su bolsillo vacío"*. En algunos de sus consejos hace referencia a personajes bíblicos de cuya forma de actuar se pueden sacar conclusiones morales. Así, considera loable la actitud de Yonadab y sus hijos de abstenerse de beber vino, como aparece en el libro de Jeremías, pero Maimónides no quiere obligar a su propio hijo a seguir este ejemplo porque lo considera demasiado joven. No obstante, le recomienda mezclar el vino con agua para rebajarlo y tomarlo como alimento, no simplemente por placer, y le recuerda la deplorable actitud de Noé que se emborrachó y se quedó desnudo en su tienda, tal como nos cuenta el Génesis.

Ciencia e interpretación de la *Biblia*

En estos últimos años de su vida, Maimónides terminó otra de sus obras fundamentales, la *Guía de perplejos*, destinada a explicar racionalmente la *Biblia* y hacerla compatible con las teorías fundamentales de la filosofía griega. Aquí expone la idea de que *"las numerosas ciencias que eran patrimonio de nuestra nación se fueron perdiendo debido a la lejanía del tiempo y al dominio ejercido sobre nosotros por los pueblos bárbaros, y también como consecuencia de la prohibición de divulgar estas teorías a todo el mundo, como ya hemos dicho, pues lo único permitido en cuanto a difusión general eran los textos de la Escritura".* Maimónides alude a los *"secretos de la* Biblia*"* como aquellos que esconden conocimientos científicos que son solamente adecuados para aquellos capacitados para entenderlos. Como el mismo expresa en su introducción, el texto bíblico, además de su sentido literal contiene otro significado alegórico que hace referencia a realidades ocultas. La creación del mundo tal como aparece en la *Biblia* esconde teorías físicas y contenidos de índole metafísica que solo mediante la interpretación alegórica se pueden descubrir. Esto quiere decir que los conceptos de la física y la metafísica han sido expuestos en la *Biblia* por medio de alegorías y metáforas, porque si hubieran sido expresados con todo claridad el vulgo no los habría entendido.

Maimónides, al igual que los filósofos árabes y escolásticos, considera a Dios como *causa primera* o *fundamento primero* de todo lo que existe y ocurre en el mundo, en consonancia con la teoría aristotélica de *primer motor*, último término al que nuestra inteligencia llega necesariamente remontando el proceso de los seres y sus causas. Según Aristóteles, este *primer motor* es una condición necesaria para la ciencia, que sería imposible si las causas se extendieran hasta el infinito, porque lo ilimitado escapa al conocimiento científico.

Manuscrito de la *Guía de perplejos* de Maimónides en su traducción al hebreo. Barcelona 1347-1348. Det Kogelinge Bibliotek, Copenhague. Cod. Hebr. XXXVII, fol. 212r.

La idea del Universo de Maimónides también está influida por el pensamiento aristotélico, pues afirma que en él *"no hay absolutamente ningún vacío: es un sólido pleno cuyo centro es la bola terrestre; el agua envuelve a la tierra, el aire al agua, el fuego al aire y el quinto elemento* (el éter en palabras de Aristóteles) *al fuego. Hay muchas esferas, contenidas una en otra, y entre ellas no existe hueco ni vacío alguno".* Maimónides continúa explicando que algunas esferas tienen movimientos y velocidades distintos e incluso centros diferentes: en unas coincide con el del globo terrestre, mientras que otras son excéntricas a él, idea que sirvió a

Tolomeo para dar sentido a la diversidad en los movimientos de los planetas. Si para explicar las causas de los movimientos de las esferas celestes Aristóteles deducía la existencia de las inteligencias separadas, Maimónides aplica este concepto a la existencia de los ángeles; estos son intermediarios entre Dios y los demás seres y por su mediación se mueven las esferas y fue creado el mundo. Esta teoría explica la participación de los ángeles en la creación del mundo tal como aparece en el Génesis y el uso del plural en boca de Dios cuando dice *"hagamos al hombre"* y otras expresiones similares.

También utiliza Maimónides la medicina para justificar algunas leyes judías. Las normas dietéticas del judaísmo definen las clases de animales que se pueden comer y cómo se deben preparar y prohiben expresamente mezclar la carne con la leche y sus derivados respectivos. Para justificar la prohibición de comer carne de cerdo, afirma que se trata de un animal muy sucio que se alimenta de sustancias contaminadas y añade que si estuviera permitido *"los mercados e incluso las casas particulares estarían más sucios que las letrinas"*. Además, la grasa de los intestinos del cerdo produce la sensación de estar lleno al que la consume, es mala para la digestión y provoca sangre fría y espesa. En cuanto a la costumbre de mezclar la carne con la leche, Maimónides sugiere la posibilidad de que algún tipo de idolatría haya influido en el origen de semejante prohibición.

Un párrafo extenso de la obra está dedicado a las razones de la práctica de la circuncisión. Así, dice que una de ellas es la de *"mitigar el deseo sexual y debilitar el órgano en cuestión, con el fin de restringir su acción dejándolo en reposo el mayor tiempo posible"* y añade que *"el hecho de que la circuncisión atenúa la excitación sexual e incluso a veces hasta disminuye el placer es algo que no admite duda, porque si desde el nacimiento se hace sangrar a este miembro, quitándole la cobertura, quedará indudablemente debilitado"*.

Maimónides murió en 1204 y se cuenta que los judíos y los árabes hicieron duelo por él durante tres días. Una leyenda relata que pusieron su cadáver sobre un burro y el éste se perdió; después de dar muchas vueltas, finalmente el animal se paró en Tiberíades y allí es donde fue enterrado. Su tumba es venerada por miles de personas de todas las culturas y religiones que se acercan cada año a esta ciudad de Galilea para visitarla.

Aunque en sus obras de medicina no muestra la misma originalidad que en sus tratados filosóficos, lo que no se puede negar es que Maimónides se dedicó a recopilar muchas enseñanzas médicas tanto de la Antigüedad como de la Edad Media, las sometió a su propio juicio racional y las organizó de una manera sistemática y rigurosa. Prueba de ello es que tuvieron una gran repercusión, no sólo en su época, sino muchos siglos después. La integración de medicina, filosofía, religión y tradición judía es lo que caracteriza el pensamiento de este ilustre sabio judío.

La traducción y difusión de las obras de Maimónides entre las comunidades judías del sur de Francia desató una fuerte polémica entre quienes consideraron que la filosofía griega era un apoyo fundamental en la justificación racional de la tradición judía y quienes, por el contrario, sostenían que aquella era una amenaza para la pureza del judaísmo y para la ortodoxia más estricta. Esta polémica se extendió después a las juderías de Castilla y Aragón y del norte de Francia y las obras de Maimónides llegaron a ser prohibidas. Pero no faltaron tampoco quienes apoyaron al maestro y defendieron sus puntos de vista.

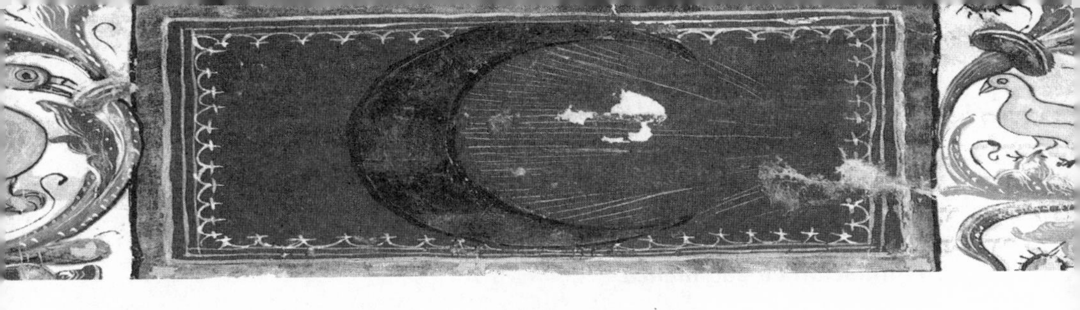

abrahamzacuto (1452–1515) la astronomía en la época de los descubrimientos

El humanista y filólogo del siglo XVI, Nicolaas Beken Clenardus, que había sido profesor de griego y hebreo en la Universidad de Lovaina y más tarde en la de Salamanca, se encontraba en Fez en el año 1541 cuando escribió una carta a su amigo João Petit, obispo de Santiago, en Cabo Verde, en la que le contaba lo siguiente: *"el médico que trató a Guillermo el problema de las fiebres es un astrólogo que estudió con el maestro Zacuto, a quien ningún judío jamás ha conseguido superar. Cuando yo le mencioné a este médico la astrología, ciencia que considero absurda, me preguntó: ¿cuántos años tienes?, con la intención de decirme algo sobre mi futuro".*

Esta anécdota pone de relieve hasta dónde llegó la fama de Abraham Zacuto y cuál fue la ciencia que le otorgó prestigio. A la figura más importante entre los científicos judíos españoles de los siglos XV y XVI le tocó vivir hechos históricos de gran trascendencia; por una parte, el descubrimiento de nuevas tierras por portugueses y españoles, y, por otra, uno de los acontecimientos más dramáticos que experimentaron los judíos a finales del siglo XV: la expulsión de los reinos de Castilla y Aragón. Las obras de este autor marcan el final de una época, la de los judíos en España, y anuncian la pervivencia de nuestro pasado cultural científico en las tierras a las que se dirigieron los expulsados. La vida de Zacuto en este sentido es emblemática de la que llevaron muchos judíos españoles exiliados, que se fueron a Portugal, donde vivieron unos años hasta que el edicto de expulsión de 1497 les obligó a marcharse y, después de múltiples avatares en el norte de África, acabaron en diversas ciudades de oriente.

Su formación en Salamanca

Abraham bar Samuel bar Abraham Zacuto pertenecía a una familia de origen francés que tuvo que huir de Francia tras la expulsión de 1306 para establecerse posteriormente en España. Él se muestra siempre muy orgulloso de sus dos familias, tanto de la paterna como de la materna, por la fidelidad que siempre manifestaron hacia la ley judía, a pesar de las persecuciones a las que fueron sometidos los judíos durante el siglo XIV. Nació en Salamanca el 12 de agosto de 1452 a las tres de la tarde. Esta precisión sobre su nacimiento la establece el propio Zacuto en una de sus obras, el *Libro de las genealogías*, para demostrar sus conocimientos astronómicos y su dominio del calendario.

Durante su juventud estudió la religión judía con su padre, Rabí Samuel, que era cabalista y tenía estrecha relación con los intelectuales judíos más importantes de su época. En el *Libro de las genealogías* cuenta la emoción tan grande que sintió de pequeño cuando se recibió en su casa la visita del maestro Rabí Isaac Campantón, uno de los más ilustres rabinos del reino de Castilla, que moriría poco después. A pesar de haber sido después un eminente científico, Zacuto recibió una educación tradicional judía con especial hincapié en la religión, las leyes y la mística. Su maestro más importante fue Rabí Isaac Aboab, de quien aprendió, entre otras cosas, el *Talmud* y la *Cábala*. Este rabino murió en Portugal en 1493, siete meses después de la expulsión de los judíos de España, y durante su funeral Zacuto leyó una elegía, basada en un texto bíblico, en alabanza de quien había sido su maestro.

Durante la época en que vivió en Salamanca comenzó a interesarse por las matemáticas y la astronomía. Aunque no es probable que estudiara en la prestigiosa universidad de la ciudad, y mucho menos que impartiera clases en ella, lo que no cabe duda es que Abraham Zacuto estaba muy al tanto de lo que se enseñaba allí en estas materias. Es posible que impartiera clases de astronomía en algún círculo de eruditos de la ciudad, entre los que estaría incluso el propio obispo Gonzalo de Vivero. En Salamanca vivió Zacuto hasta 1474.

Gonzalo de Vivero, obispo de la ciudad desde 1447 hasta 1480, actuó como su mecenas y protector , como era habitual en la época con científicos y literatos, y parece ser que se acordó de él en su testamento donde especificó lo siguiente:

Mandó [el testamentario] *que den al judío Abraham, astrólogo, quinientos maravedíes y diez fanegas de trigo, y mandó que ciertos cuadernos que están en romance escritos por*

lajuderíadesalamancaenelsigloXV

Durante la primera parte del siglo, la situación de los judíos salmantinos era bastante desoladora, sobre todo a raíz de las conversiones al cristianismo que crearon una fuerte escisión en la comunidad judía: varias familias se vieron rotas por la decisión de algunos de sus miembros de adoptar la nueva religión.

En 1411 pasó por Salamanca el famoso predicador Vicente Ferrer, que había iniciado ese año su campaña de conversión de los judíos, a quienes obligaba a escuchar sus sermones en sus propios templos, y contribuyó enormemente a que se inflamara el fanatismo de los cristianos y el odio a los judíos. Cuentan las crónicas cristianas que mientras este dominico estaba predicando un sábado en la sinagoga, aparecieron unas cruces blancas en las ropas de los judíos, lo que fue considerado como un milagro por todos los allí presentes. Como resultado hubo una gran cantidad de conversiones. Además, la sinagoga de la ciudad fue convertida en iglesia y una escuela de estudios judíos fue donada por el rey a la propia universidad.

En cambio, durante los años en que Zacuto vivió en Salamanca, la judería de esta ciudad pasaba por un momento floreciente, sobre todo porque gozaba de los privilegios que le había concedido Fernando II en los que se establecía la igualdad entre judíos y cristianos en los procesos judiciales, en la posibilidad de adquirir casas y tierras y en otros asuntos. Además ambos grupos vivían de manera pacífica y en armonía.

Los documentos de la época nos informan de que los judíos vivían en casas arrendadas al cabildo o al monasterio de San Agustín y entre ellos, además de comerciantes, prestamistas, artesanos y recaudadores de impuestos, había bastantes que se dedicaban al arrendamiento y a la medicina. El único sentimiento en contra de los judíos que se produjo en esos años brotó en la ciudad en 1456, cuando fueron acusados del asesinato ritual de un niño al que habían secuestrado unos bandidos.

De la época de los Reyes Católicos se conservan algunos documentos en los que los monarcas les otorgan privilegios que habían perdido e incluso obligan a que se paguen los contratos que algunas personas tienen con los judíos de esta ciudad. También informan de los préstamos que estos hicieron para pagar los gastos de la guerra de Granada; en concreto, en el año 1489 prestaron 600.000 maravedíes.

Cuando llegó la orden de expulsión en 1492, los judíos de Salamanca se dirigieron a Portugal a través de Ciudad Rodrigo; sin embargo, hubo algunos que se convirtieron al cristianismo para evitar la expulsión y tuvieron que sufrir en los años siguientes las persecuciones de la inquisición, pero Abraham Zacuto no estaba entre ellos.

dicho judío se pongan en un solo volumen con sus otros libros y en la mencionada iglesia del obispo, porque son provechosos para entender las tablas de dicho judío.

Este obispo era un notable erudito de su época y poseía una nutrida biblioteca en la que se encontraban obras científicas, tratados de agricultura, de moral y jurídicos, libros de geometría y similares.

La *Composición magna*

Entre 1473 y 1478, Zacuto escribió en hebreo su obra principal de astronomía, titulada *Composición magna*, que fue traducida al castellano tres años después por Juan de Salaya, quien contó con la ayuda del propio Zacuto para realizar su traducción.

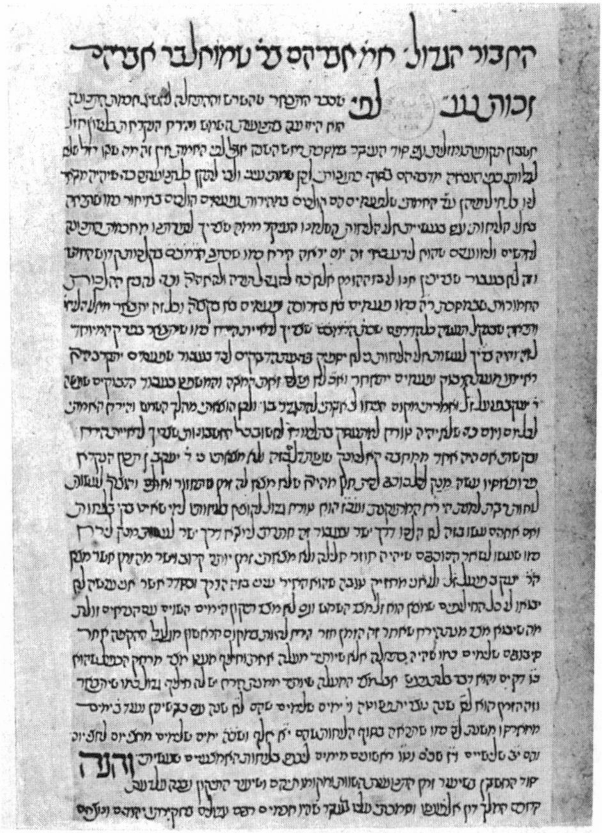

Manuscrito de la obra en hebreo *Composición magna* de Abraham Zacuto. Ms. hebr. 14 de Lyon. Fol. 215v.

juandesalaya

Juan de Salaya perteneció durante muchos años al Colegio Viejo de San Bartolomé en Salamanca y en 1466 fue elegido consejero del mismo. Fue catedrático de astronomía de la universidad de esta ciudad entre 1464 y 1469, año en que la abandonó para obtener la cátedra de lógica. El testamento del obispo salmantino, Gonzalo de Vivero, menciona algunos libros de ciencia que este catedrático le había prestado, así como algunas obras que el prelado había dejado al profesor. Tuvo mucha fama como astrónomo y escribió comentarios a las obras de Aristóteles, algunos de los cuales se conservan en la biblioteca de El Escorial. Se cuenta que predijo un eclipse de Sol que tuvo lugar el 19 de julio de 1478.

Su amistad con Abraham Zacuto fue probablemente lo que le animó a traducir su Composición magna *al castellano. Esta traducción reproduce en muchos pasajes el original hebreo en su sentido literal, lo que en ocasiones dificulta su comprensión, pero a veces omite frases que solamente tienen interés para un lector judío, como algún versículo bíblico que sirve de regla mnemotécnica y que no tiene ningún sentido al traducirlo al castellano. Se considera una obra fundamental para estudiar el vocabulario científico en castellano a finales de la Edad Media.*

La obra consta de dos partes: las tablas astronómicas propiamente dichas, calculadas para el meridiano de Salamanca y el año *radix* 1473, y unos cánones precedidos de una introducción en la que el autor explica las razones que le llevaron a escribir esta obra. La utilidad más importante de la ciencia de la astronomía para los judíos es la de poder determinar con precisión cuando aparece la Luna nueva, porque este hecho indica el comienzo del sábado, el día sagrado, y el principio del año nuevo, así como otras festividades. Zacuto pretende hacer compatibles sus teorías con las normas para fijar las fechas que aparecen en los libros de leyes de la *Misná* y el *Talmud* y que fueron explicadas por Maimónides en su tratado sobre la santificación del mes. Otra de las razones para elaborar unas nuevas tablas astronómicas con las posiciones de los planetas era que muchos de los datos que se conocían hasta ese momento ya no se consideraban vigentes, y por eso, una parte importante de la obra está dedicada a corregir los errores de los cálculos que hasta ese momento se utilizaban. También señala Zacuto la necesidad de elaborar un almanaque lunar que señalara todo el movimiento de la Luna en su órbita, porque nadie lo había hecho hasta entonces. El científico Jacob ibn Tibón había elaborado almanaques para todos los planetas, excepto para la Luna, con lo cual dejaba libre el camino a nuestro autor.

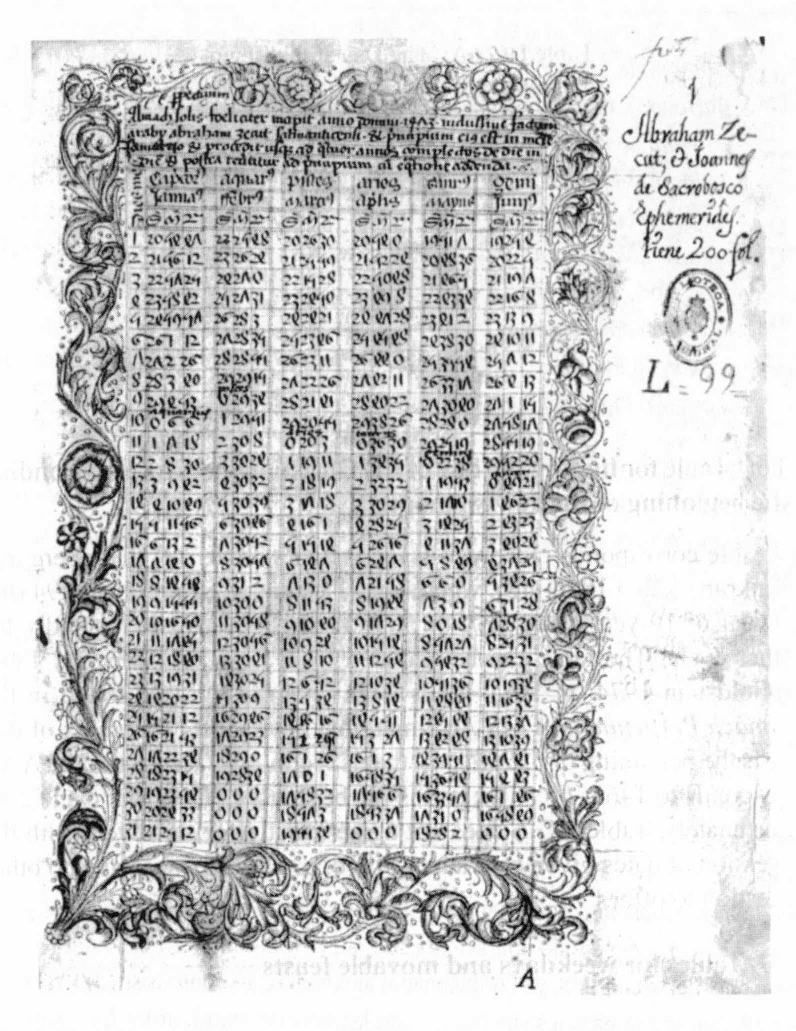

Tablas de Zacuto de su *Composición magna* en su versión latina. Tabla correspondiente a las posiciones del Sol al mediodía indicadas en grados, minutos y segundos. Madrid, Biblioteca Nacional, Ms 3385, fol. 1r.

Las tablas propiamente dichas son en realidad un almanaque con las posiciones de los planetas, incluidos el Sol y la Luna, a intervalos de un día o unos pocos días en cada uno de los años del ciclo de cada planeta. El esfuerzo, la dedicación y el trabajo minucioso que hay detrás de esta labor son enormes. Así, por ejemplo, las tablas de la Luna requieren el cómputo y anotación de sus posiciones diarias durante 11.325 días que constituyen los 31 años del ciclo lunar. La ventaja de las tablas de Zacuto es que permiten calcular estas posiciones a base de operaciones matemáticas sin necesidad de anotar todos los datos día por día. Para la elaboración de estos cómputos, Zacuto se basó fundamentalmente en las *Tablas alfonsinas*, aunque corrigió sus errores. Así expresa nuestro autor sus opiniones sobre Alfonso *X el sabio* al tratar sobre el cálculo de los movimientos de los astros y la predicción de los eclipses:

> *Me he apoyado en él porque en su investigación tomaron parte numerosos y notables sabios judíos, cristianos y musulmanes. Además he visto que él acepta que la época del movimiento o lugar medio del Sol y de la Luna en la fijación del calendario hace referencia al ecuador.*

También sigue Zacuto las teorías del monarca castellano sobre los movimientos de la esfera de las estrellas fijas y de los planetas con respecto a la cabeza del Dragón. Critica, en cambio, a eminentes sabios judíos como Isaac Israelí, por las contradicciones que aparecen en sus cálculos de los eclipses y termina diciendo de él: *"aunque yo lo aprecio mucho, más aprecio la verdad"*. También señala los fallos en los cálculos de Abraham ibn Ezra para fijar el calendario, e indica las divergencias entre este y Maimónides en cuanto a

el uso de las *tablas alfonsinas*

Las tablas astronómicas elaboradas bajo la dirección de Alfonso X el sabio *estuvieron durante muchos siglos sin apenas utilizarse en la península –solamente hay algunas referencias a ellas en las* Tablas *de Barcelona y en los cánones de las* Tablas *de Jacob ben David Bonjorn–, aunque se hizo uso de ellas en ciudades europeas. Jean de Lignères y Jean de Murs llevaron a cabo una revisión de las* Tablas alfonsinas *en París poco después de su elaboración en la corte del rey castellano e iban acompañadas de unos cánones escritos por J. de Sajonia en 1327. Fue en 1460 cuando el catedrático de astronomía de la Universidad de Salamanca, Nicolás Polonio, decidió adaptarlas para esta ciudad para poder enseñar a sus alumnos la ciencia de la astronomía. Elaboró así las conocidas como* Tabulae resolutae, *y es la primera vez que se utilizan de forma sistemática las* Tablas alfonsinas *en la península. Este hecho va a determinar de forma muy clara el futuro de la astronomía en nuestras fronteras, pues a partir de este momento se elaboraron multitud de obras astronómicas en castellano y en latín basándose en los cálculos de las* Tablas alfonsinas *y con adaptaciones para diversas ciudades. Una de las que se hicieron para Salamanca en 1461, las* Tabulae verificate, *acompañadas de unos cánones de autor anónimo, se convirtieron en la fuente más importante para Zacuto.*

la cuestión de establecer el momento de la visibilidad de la Luna nueva. A pesar de estas críticas, reconoce los méritos de Ibn Ezra, como el de establecer las 120 conjunciones en cada uno de los 360 grados de la esfera. Zacuto incluyó una tabla en la que se recoge el orden en que tienen lugar estas conjunciones siguiendo la disposición en que las escribió Ibn Ezra en el *Libro del mundo*. Del almanaque de Jacob ibn Tibón para Venus, Zacuto destaca la falta de exactitud de algunos datos y además critica que este autor haya seguido las *Tablas alfonsinas* para los almanaques de Saturno, Júpiter y Mercurio, pero se haya apartado de ellas para los del resto de planetas. En el caso de las tablas que Jacob ibn Tibón calculó para Marte no son tan precisas como las del propio Zacuto, que anotó los datos de la posición de este planeta cada cinco días, en lugar del período de diez días que empleó ibn Tibón.

El cuerpo principal de la obra está dividido en 19 capítulos porque, como el mismo Zacuto nos indica, este número corresponde al ciclo de años embolismales del calendario judío y también porque así dividió Maimónides sus prescripciones sobre la santificación del

jacobbendavidbonjorn

Jacob ben David Yomtob, también conocido por el apellido Bonet *o* Bonjorn, *e incluso por el sobrenombre hebreo Poel, fue uno de los más ilustres astrónomos judíos del siglo XIV que aprovecharon el florecimiento de la ciencia que impulsó Pedro* el ceremonioso, *quien a mediados de siglo tenía su corte en la ciudad de Perpiñán. Jacob Bonjorn vivía en esta urbe y entró al servicio del rey como astrónomo. Redactó en hebreo unos cánones y compiló unas* Tablas astronómicas *para la latitud de Perpiñán y el año radix 1361. Utilizó como fuentes las obras de Abraham bar Hiyya y Gersónides, uno de los más famosos astrónomos franceses del siglo XIV, y las* Tablas alfonsinas *y probablemente contó con la ayuda de su padre, David Bonjorn del Barri. Su obra alcanzó mucha fama en su época y de ella se hicieron versiones al latín y al catalán de los siglos XIV y XV.*

Jacob Bonjorn es no sólo uno de los autores judíos más citados en la obra de Zacuto, con el nombre de Jacob Poel, sino uno de los más seguidos. Zacuto alaba la precisión en sus mediciones de los tiempos de la Luna, aunque en algunos casos corrige sus cálculos. También sigue la ordenación que estableció el sabio de Perpiñán de los eclipses de Luna y en sus teorías se basa para calcular el día del mes en que se produce conjunción u oposición del Sol y la Luna, por ser más precisas que las de otros autores.

mes. En ellos se estudian los movimientos de los planetas y sus posiciones con respecto a las estrellas fijas y se analizan cuestiones sobre los calendarios judío, cristiano, islámico y persa, con indicaciones de cómo calcular los cambios de fechas en los distintos almanaques. Sobre el año cristiano dice que es solar y que se toma como referencia el nacimiento de *"aquel hombre autor de la ley de ellos, 38 años después de la era de César"*. De los musulmanes afirma que cuentan los años *"desde el día en que, en un jueves, marchó Mahoma desde la Meca a otra ciudad"*; sus meses son lunares y no consideran ningún año bisiesto, por eso sus fiestas se retrasan cada año 11 días. Sobre los persas, sostiene que, a diferencia de los cristianos, no añaden un día a febrero en los años bisiestos y cuentan *"desde el día en que comenzó a reinar sobre ellos Isdajarad, que fue unos diez años después de la cronología de Mahoma"*.

Otras cuestiones como la fijación de los días de las fiestas, y la intercalación en el calendario judío también son estudiadas en este tratado. La última parte analiza los medios movimientos de los planetas con relación a la cabeza del Dragón.

Una cuestión importante que se planteaba en los tratados de astronomía de la época era la posición del Sol en la eclíptica, que era fundamental para orientarse en las navega-

lacabezaylacoladeldragón

Según la astronomía griega, la constelación del Dragón ocupa prácticamente toda la bóveda celeste y su cabeza y su cola se encuentran en los extremos opuestos. Estos dos lugares designan los dos puntos de intersección del círculo del zodíaco y del círculo de declinación y reciben el nombre de nodos. Los nodos lunares son los puntos de la eclíptica donde la Luna pasa del sur al norte (nodo ascendente, también llamado cabeza del Dragón*) y del norte al sur (nodo descendente o* cola del Dragón*). En la Edad Media estos puntos fueron considerados como auténticos cuerpos celestes, de una categoría similar a la de los planetas, y se tuvieron muy en cuenta para las predicciones astrológicas. Es por esta razón por la que Zacuto pone mucho interés en su obra en enseñar la manera de calcular el momento en que se produce la mencionada intersección y la relación entre estos dos puntos y los movimientos de la Luna. El concepto de la cabeza y la cola del Dragón como cuerpos celestes se mantuvo hasta Kepler, que rechazó esta teoría afirmando que* "no representan ninguna división natural, son únicamente puntos geométricos o aritméticos".

ciones por mar. Esta obra contiene las posiciones del Sol al mediodía de cada uno de los días del año, expresadas en grados, minutos y segundos para los años 1473 a 1476. Para conocer el momento en que el Sol entraba en cada uno de los signos del zodíaco, lo cual servía para averiguar cuando comenzaba cada una de las cuatro estaciones del año, Zacuto elaboró unas tablas para 136 años que comenzaban en 1473.

También explica Zacuto las operaciones matemáticas que se deben realizar para conocer la relación entre el nacimiento de una persona y el tiempo de la revolución de su año, dato fundamental para establecer su ascendente y las doce casas astrales en las que se basan las predicciones astrológicas sobre su futuro. También es importante saber la manera de averiguar el ascendente y la casa astral de un determinado día y hora para deducir si

Calendario con disco móvil copiado en Castilla alrededor de 1300.
París, Biblioteca Nacional, ms. hebr. 21, fol. 3v.

es adecuado realizar una determinada actividad en ese momento, asunto sobre el que trató ampliamente Ibn Ezra en el *Libro de los tiempos elegidos*. A pesar de estas observaciones de carácter general, no se tratan cuestiones de tipo astrológico en esta obra.

En el capítulo quinto explica algunos conceptos astronómicos básicos y cómo calcularlos para cada día del año:

> *La conjunción tiene lugar cuando se juntan el Sol y la Luna en un mismo grado y en una misma porción (o minuto). La oposición se produce cuando hay entre ellos 6 signos por igual. El aspecto triangular existe cuando hay entre ellos 4 y 8 signos. La cuadratura, que son los cuartos de mes, cuando existen 3 y 9 signos. El sextil, cuando son 2 y 10 signos.*

El capítulo noveno está dedicado a explicar cómo calcular la latitud y longitud de una ciudad determinada y remite con frecuencia a la tabla donde aparecen las latitudes y longitudes de unas ciudades concretas. Explica que la longitud indica la distancia de un punto *"desde el comienzo del occidente efectivo"* hacia oriente y la latitud señala la distancia con respecto a *"la mitad del mundo"*, es decir, al ecuador. Estos datos eran fundamentales no sólo para los astrónomos sino también para los hombres de leyes porque permitían determinar en qué momento concreto se podía ver la Luna cada uno de los días del año y, de esta manera, se podía saber con exactitud en qué momento exactamente comenzaban los días sagrados. También enseña en este capítulo cómo saber el clima al que pertenece un determinado lugar de la Tierra, su ascendente, cuantas horas dura el día más largo en ese punto geográfico, y otros datos que se deducen de la longitud y latitud de cada lugar.

Una de las aportaciones más importantes de las tablas de Zacuto es la posición de las 1022 estrellas fijas, porque corrige los datos que aparecen en el *Almagesto* de Tolomeo. Zacuto explica el procedimiento para calcular las nuevas posiciones según el número de años que han pasado desde que el sabio griego hizo sus cálculos.

Esta obra iba dirigida a un público eminentemente judío, independientemente de que las teorías científicas que en ella aparecen sirvieran de igual manera a los cristianos.

Su estancia en Extremadura

A la muerte del obispo Vivero, Zacuto quedó sin protector en la capital salmantina y decidió partir de allí para trasladarse a Extremadura. En Gata, en la provincia de Cáceres, vivía Juan de Zúñiga y Pimentel, hijo de los duques de Arévalo y maestre de la Orden de

posiciones geográficas de algunas ciudades

Zacuto señala que para indicar la longitud se ha tomado como referencia el punto más occidental del mundo conocido entonces, aunque no nos dice el lugar concreto en que este se encuentra. Actualmente, la longitud toma como referencia el meridiano de Greenwich como primer meridiano, convención a la que se llegó en 1883. Por esta razón los datos de las longitudes que aporta Zacuto no tienen nada que ver con los que se utilizan en la actualidad; sin embargo la latitud de las ciudades señaladas se acerca bastante a los datos que se manejan ahora.

Ciudad	longitud	latitud
Jerusalén	67º 30'	33º 0'
Meca	77º 0'	21º 40'
Damasco	69º 5'	33º 0'
Roma	35º 20'	42º 0'
Alejandría	51º 20'	31º 0'
Lisboa	22º 54'	39º 35'
Salamanca	25º 46'	41º 19'
Sevilla	26º 5'	37º 15'
Córdoba	27º 8'	37º 44'
Toledo	28º 30'	39º 54'

Alcántara, que era un gran amante e impulsor de las ciencias. Su afición por la astronomía en particular era tan grande que, en una de las habitaciones que se encontraban en la parte más alta de su casa, mandó pintar el cielo con todos sus planetas, astros y signos del zodíaco. De él dice Zacuto que se le podían aplicar las palabras que la reina de Saba dijo al rey Salomón: *"Sobrepasas en sabiduría y excelencia la fama que yo había oído de ti, ¡bienaventurados tus servidores que pueden escuchar tus palabras!"*.

Tenía este noble un círculo de eruditos y hombres de ciencia que trabajaban bajo su protección y mecenazgo, entre los que podemos destacar a Antonio de Lebrija y al músico Solórzano. No le resultó muy difícil a nuestro científico judío encontrar en Juan de Zúñiga la ayuda y el apoyo que necesitaba. Sobre la labor de mecenazgo de su protector dice Zacuto que los sabios y letrados dejaban sus tierras y los lugares donde habían nacido para encontrar el apoyo de este noble extremeño.

Tratado de las influencias del cielo y juicio de los eclipses

Bajo el mecenazgo de Juan de Zúñiga pudo escribir Zacuto en 1486, y al parecer originalmente en castellano, su *Tratado de las influencias del cielo y juicio de los eclipses*. Esta obra consta de una introducción, en la que destaca la importancia que tiene para los médicos poseen conocimientos de astronomía y astrología, y tres partes, en las que trata sobre los movimientos de los astros y sus influencias en los seres humanos. En un apéndice analiza la manera de explicar los eclipses del Sol y la Luna desde el punto de vista de la astrología médica. En él sostiene que ha seguido las teorías de Tolomeo y otros autores árabes y para resaltar la importancia de dichos eclipses, Zacuto compara al Sol y a la Luna con el rey, y a los demás planetas con los nobles de la corte; de esta manera pretende ilustrar las relaciones que se establecen entre unos y otros para gobernar el mundo. Se aprecia en las teorías de Zacuto una fuerte influencia del tratado de Abraham ibn Ezra, *El principio de la sabiduría*.

En la introducción destaca Zacuto la importancia que tiene para la medicina saber que son los cambios en los movimientos de los astros los que ejercen las influencias en los seres terrenales. Desde este punto de vista, debido a que la enfermedad se considera un cambio con respecto a la salud del cuerpo y viceversa, ambas están sujetas al poder de los astros. Lo que deben hacer los médicos, en consecuencia, es atraer hacia el enfermo influencias positivas y evitar las negativas. En este sentido es muy significativo el comentario que hace Zacuto sobre el primer aforismo de Hipócrates, sobre el cual Maimónides se extendió ampliamente, como ya hemos visto. Sobre él dice que *"es mejor que el hombre sea maestro perfecto en una sola ciencia que imperfecto en muchas, por eso hay pocos médicos que conozcan perfectamente la ciencia de la astrología, aunque es muy necesaria para su arte"*.

Zacuto justifica la existencia de nueve esferas basándose en las nueve veces que aparece la palabra *firmamento* en el primer capítulo del Génesis, un procedimiento muy habitual en la historia de la exégesis bíblica judía medieval. La décima esfera, que es el mundo de la divinidad, no aparece mencionada en el Génesis, sino en la visión que tuvo de ella el profeta Ezequiel, y lo que está contenido en ella escapa al conocimiento de los astrólogos y es la materia sobre la que trabajan los teólogos y los místicos. Zacuto justifica también la existencia de diez esferas utilizando como argumento la afirmación del Salmo 8 de David en el que se dice *"cuando contemplo el cielo, obra de tus dedos"* (Sal 8,4); de aquí se deduce que las diez esferas se corresponden a los diez dedos. De esta manera pretende Zacuto, como ya hizo Ibn Ezra, establecer conexiones entre los conocimientos científicos y el texto sagrado. Según la tradición de la astronomía, en la novena esfera no existe ningún astro, por lo que algunos científicos negaron su existencia, pero el astrónomo salmantino trata de justificarla afirmando que los signos del zodíaco parece que se encuentran en ella cuando entran en conjunción con el Sol y que además es la encargada de poner en movimiento a las esferas restantes.

Zacuto también añade el dato del número de constelaciones y de estrellas, tanto las del hemisferio norte como las del hemisferio sur, que encontramos en Tolomeo y posteriormente en Ibn Ezra, y llama la atención sobre el hecho de que las únicas constelaciones que influyen en los seres terrenales son los doce signos del zodíaco debido a que los siete pla-

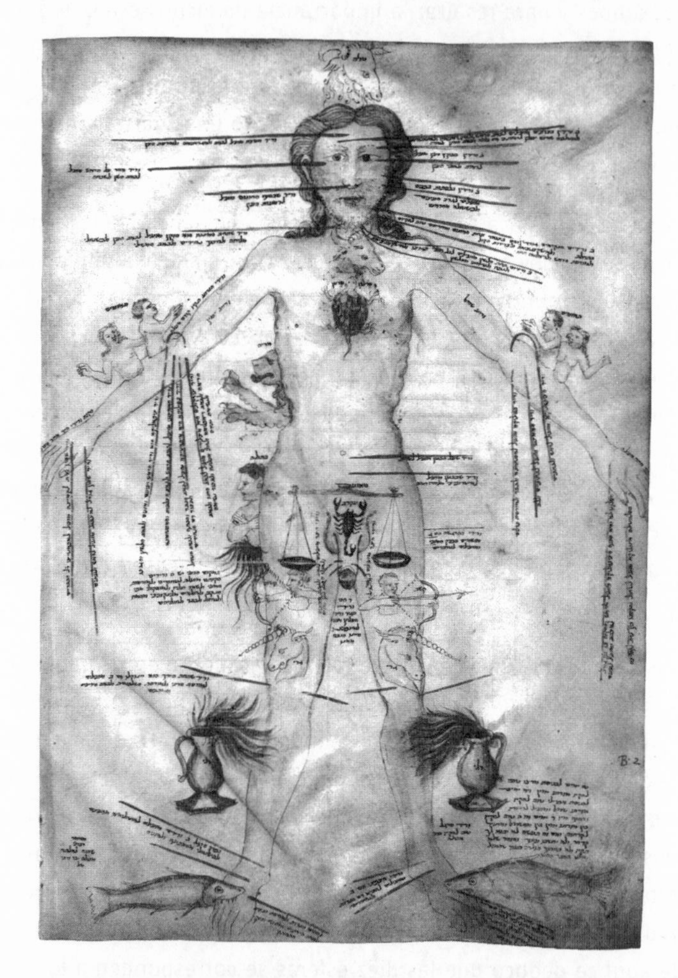

Representación italiana alrededor de 1400 del *homo signorum* y el *homo venarum*: los signos del zodíaco que corresponden a cada una de las partes del cuerpo y en las que ejercen su influencia. Se señalan los puntos más adecuados para practicar la sangría. París, Biblioteca Nacional, ms. hebr. 1181, fol. 264v.

netas se mueven por debajo de ellos, pero no las demás, aunque existen algunas estrellas fuera de los signos del zodíaco que sí ejercen su influencia.

Una de las ideas sobre las que Zacuto insiste más en su obra es la de que la astronomía es fundamental para la medicina, por la creencia en que los signos del zodíaco influyen en cada una de las partes del cuerpo, lo cual ayuda a determinar los pronósticos de las enfermedades. Las cualidades físicas de cada signo y su relación con cada uno de los elementos de la materia también se tenían en cuenta a la hora de definir sus influencias.

Después de describir las características de los planetas y de las doce casas en que se divide la esfera celestial, Zacuto incluye una lista con los nombres de las estrellas fijas y su posición en el firmamento, y afirma que ejercen una fuerte influencia en las enfermedades,

los signos del zodíaco y el cuerpo humano

Sobre la relación entre los signos del zodíaco, los cuatro elementos y las partes del cuerpo humano dice Zacuto lo siguiente:

Los signos está repartidos en los cuatro elementos. Aries es caliente y seco, como el fuego. Tauro, frío y seco, como la tierra. Géminis, caliente y húmedo, como el aire. Cáncer, frío y húmedo, como el agua. De esta manera siguen los demás signos: Leo, caliente y seco, etc. Así, Aries, Leo y Sagitario pertenecen al fuego; Tauro, Virgo y Capricornio a la tierra; Géminis, Libra y Acuario al aire; y Cáncer, Escorpio y Piscis al agua. [...] También se han distribuido los signos sobre los miembros del cuerpo: Aries está en la cabeza, Tauro en el cuello, Géminis en los brazos; por eso dicen que cuando la Luna está en Géminis no se deben hacer sangrías, porque es peligroso, sobre todo si el ascendente de su nacimiento es Capricornio. A Cáncer le corresponde el pecho, con la asadura y el estómago; a Leo, el corazón y el hígado; por eso dicen que cuando en el nacimiento Venus está en Leo el que nazca será enamorado y si está en Aries tendrá hermosos cabellos. A Virgo le corresponde el ombligo y todo lo que está debajo y el estómago, es decir, las tripas. A Libra le corresponden los riñones y por donde se sienta el hombre. Escorpio está en los genitales y en todo lo que se relaciona con ellos. Sagitario está en las piernas, Capricornio en las rodillas, Acuario en las espinillas y Piscis en las plantas de los pies. A veces los que nacen en estos signos traen alguna señal en el miembro del signo de su nacimiento.

sobre todo si la Luna está en conjunción con ellas. En la descripción de estas estrellas Zacuto sigue generalmente el mismo esquema. Así por ejemplo, dice:

> *Las Pléyades, que son las cabrillas, son septentrionales 23 grados y pasan por el mediodía con 22 grados de Tauro, por el ascendente con 15 de Tauro y por el occidente con 26 de Tauro. Son de la complexión de Marte y la Luna.*

En algunos casos añade alguna información adicional, como por ejemplo, en el caso de la conocida como *Espiga alagel* o mano de Virgo de la que dice que *"es muy buena y honrada y por esta estrella y el Corazón del León se ha conocido toda la astrología, los siete planetas y su composición, así como los signos".*

Sobre las relaciones entre astrología y medicina, Zacuto cita las opiniones de Hipócrates, que dijo que *"ciego es el médico que no sabe astrología"*, y Avicena, que sostenía que *"por los astros celestes cambian las enfermedades".* El astro que más influye en la salud es la Luna porque sufre muchos cambios en la luz que recibe, debido a que unas veces crece y otras mengua y porque es el planeta que está más cerca de la Tierra. Acerca de la curación del enfermo dependiendo de la conjunción de los astros afirma lo siguiente:

> *Dice Tolomeo que tocar con un hierro un miembro del cuerpo cuando la Luna está en el signo correspondiente a ese miembro es perjudicial. Por eso dicen que cuando la Luna esté en Géminis no se deben hacer sangrías en los brazos, pues se puede causar un grave mal, sobre todo si el ascendiente es Capricornio. Si está la Luna en Aries es malo cortar el pelo a navaja, pero esto se entiende en el caso de los enfermos, y poner ventosas en las orejas y en el cuello, y sangrar la vena de la cabeza que se llama cefálica. [...] Estando la Luna en Leo no se debe usar la medicina para hacer vomitar al enfermo, porque produce un gran daño al pecho. Se sabe por experiencia que cuando está la Luna en este signo no es bueno cortar ropas o ponérselas de nuevo, porque es signo muy fijo y de fuego. Tampoco es bueno cuando la Luna está en Virgo tocar con un hierro en las costillas con medicina fuerte.*

Para practicar la flebotomía, Zacuto recomienda que la Luna esté en signos de fuego, como Aries y Sagitario, pero no en Leo, aunque es uno de ellos, y en signos de aire, como Libra y Escorpio. También es recomendable esta práctica cuando la Luna está en conjunción con Júpiter. Las fases creciente y menguante influyen en aquellas enfermedades que se producen como consecuencia del aumento de uno de los humores del cuerpo: si la Luna está en fase creciente, la enfermedad se agrava pero sucede lo contrario si está en fase menguante. El efecto opuesto tiene lugar si la enfermedad es el resultado de la disminución de alguno de los humores.

En los casos de enfermedades de larga duración, Zacuto explica cómo analizar la influencia de la Luna teniendo en cuenta su ciclo de 28 días, pues en cada uno de ellos su poder es diferente, aunque también hay que tener en cuenta la posición de este astro en el momento en que comienza la enfermedad.

En una de las partes de esta obra, Zacuto habla sobre las lluvias y el influjo que los astros ejercen sobre este y otros fenómenos atmosféricos, como las tormentas y las sequías. Afirma que a la hora de predecir este tipo de situaciones hay que considerar una serie de datos importantes, como el signo de cada uno de los reinos e incluso de cada una de las ciudades; así, por ejemplo, el reino de Castilla está bajo la influencia de Sagitario, y Valladolid, Murcia y Roma dependen de la constelación de Aries. También hay que tener en cuenta los planetas que más influencia ejercen en la lluvia, que son Venus, Mercurio y la Luna. Cuando estos se encuentran en una fase de movimiento retrógrado es indicio de una gran humedad. Este dato le permitió predecir grandes lluvias para el mes de diciembre del año 1503 pues en ese momento todos los planetas se encontrarían en esta situación, aunque desgraciadamente no podemos saber si acertó o no. La conjunción de muchos planetas en signos calientes como Leo, e incluso aunque sólo sea Saturno el que se encuentre en conjunción en uno de estos signos, indica fuertes sequías. La regla de que las predicciones de carácter general atenúan las de carácter particular también la aplica Zacuto a los fenómenos atmosféricos: si la predicción del año indica sequía y la del mes anuncia lluvia, esta última no será abundante. En cuanto a otros fenómenos atmosféricos, este autor afirma que la conjunción de Júpiter y Marte provoca grandes tormentas con rayos y truenos. Cuando Júpiter entra en conjunción con el Sol se producen vientos muy fuertes.

Zacuto establece una curiosa relación entre los planetas que están debajo del Sol (Luna, Mercurio y Venus) y los que están por encima (Marte, Júpiter y Saturno): los primeros son como los cuerpos y los segundos son como las almas. Estos últimos sólo ejercen su influencia en la Tierra por medio de los primeros que tengan sus casas en posiciones opuestas: las casas de Saturno son opuestas a las del Sol y la Luna e influyen en la lluvia; las de Mercurio están en posición opuesta a las de Júpiter y determinan los vientos; las de Venus se oponen a las de Marte.

Algunas predicciones meteorológicas se pueden hacer conociendo las conjunciones de los planetas, aunque el científico salmantino advierte que es imprescindible tener en cuenta la predicción anual, porque esta puede modificar los pronósticos de cada época del año, siguiendo el principio de que lo general anula o atenúa lo particular:

Cuando la Luna entra en conjunción con Saturno se cambia el aire para llover y hace subir muchas nubes espesas y hace días fríos, especialmente si esta con-

junción es en signos de agua o de tierra, porque entonces significa frío. Pero más cierto será esto si la Luna, después de juntarse con Saturno, lo hace con el Sol, porque entonces habrá grandes cambios en el aire. [...] Unos días antes y después de la conjunción de Saturno con Marte en signos húmedos se produce un aire dañino y pestilente que produce granizos, lluvias y truenos y daños en el cuerpo por la destemplanza y discordia de los humores entre sí.

Incluye también Zacuto algunos comentarios sobre sus propias predicciones, que después se cumplieron y así demuestra el alto grado de fiabilidad que tienen sus juicios:

En el verano pasado dije yo, en el juicio más particular que el que hicieron los demás, que los últimos días de mayo haría mucho frío y después llovería, porque el frío en tiempo de calor trae agua. Debido a esto encontró remedio toda nuestra tierra, porque no llovió durante todo el verano, ni antes, ni después, y a otras tierras, por ser tan tardías, no les causó ningún provecho. Dije todo esto en el juicio del eclipse porque encontré estas predicciones por la conjunción de Saturno con Venus con acatamiento de la Luna que tuvo lugar el veintisiete de mayo.

Después de facilitar las predicciones meteorológicas dependiendo de las posiciones de los planetas y sus conjunciones, Zacuto advierte que Dios siempre puede cambiar estas predicciones y pone como ejemplo algunos fragmentos bíblicos donde esto ocurrió.

Menciona también los datos que se pueden extraer del futuro de una persona estudiando la posición de los astros y la relación entre ellos en el momento de nacer. Zacuto señala que este conocimiento puede ser muy útil para saber cual es la profesión más adecuada que debe seguir una persona, atendiendo las indicaciones de los astros. Sobre la importancia de este tratado dice lo siguiente:

Con esto que diremos bastará para entender los otros libros de los juicios que hablan sobre esto y, debido a la prolijidad de los libros, el que tenga buen entendimiento podrá conocer con este tratado mío, aunque es breve, mucho sobre los nacimientos, porque aquí se escribirán cosas notables y experimentadas.

Para saber cómo será la forma del cuerpo, su altura y su belleza, el salmantino recomienda fijarse en el signo en que está la Luna y en el planeta que se encuentra en el ascendente. Si el planeta que tiene más fuerza en el ascendente fuera oriental al Sol y si además está en la casa doce, se anuncia un cuerpo grande. Júpiter y Venus indican hermosura, excepto si el primero es oriental al Sol; Saturno y Marte, en cambio, señalan lo contrario.

También es importante saber qué planeta está en el ascendente para conocer si la persona será inteligente o se volverá loco.

Pero la parte de la astrología que más datos puede aportar para establecer las predicciones sobre el futuro de las personas es la que determina la posición de las doce casas astrales y los signos que se encuentran en cada una de ellas.

Zacuto da incluso consejos sobre los lugares en los que no es recomendable vivir, dependiendo del signo del zodíaco bajo el que se ha nacido. Así, si su nacimiento en algún signo estuviera en un mal planeta, no conviene vivir en las ciudades y reinos de aquel signo, pero en los reinos en cuyos signos estuvieran los buenos planetas, como Castilla y Sagitario, o en las ciudades, como Burgos y Sagitario, o Virgo y Toledo, o Piscis y Sevilla, sí que le irá bien.

La conclusión de esta obra es interesante porque trata de combinar la idea de la influencia de los astros en el ser humano con sus creencias religiosas: *"El alma sabia, como dijo Tolomeo, puede privar y quitar las influencias del cielo por medio de la oración".*

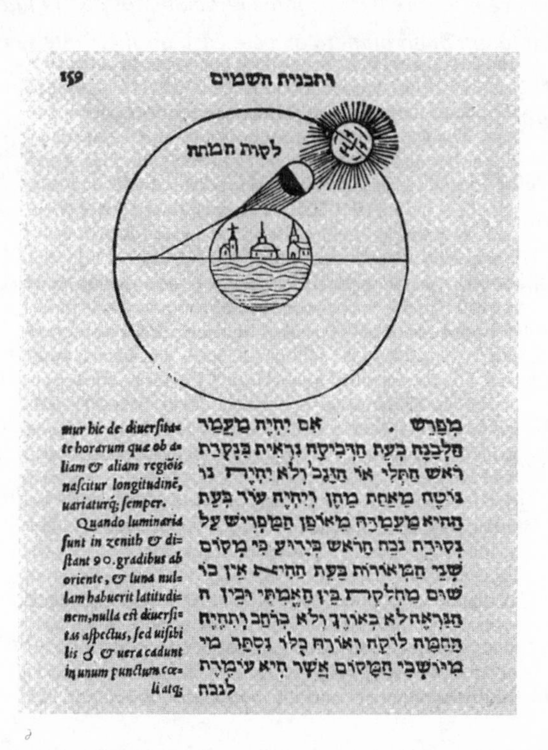
159 ותבנית השמים

מפרש . אם יהיה מעמד
הלבנה בעת הדביקה נראית בנקודת
ראש התלי או הזנב ולא יהיה גו
נוטה מאחת מהן ויהיה עוד בעת
ההיא מעמדה מאופן המפריש על
נקודת גבה הראש ברביע כי מקום
שני המאורות בעת ההיא אין כו
שום מחלקת בין האמתי ובין ה
הנראה לא באורך ולא ברוחב ותהיה
החמה לוקה ואורה כלו נסתר מי
מיושבי המקום אשר היא עומדת
לגבה

mur hic de diuersita-
te horarum quae ob a-
liam & aliam regiõis
nascitur longitudinẽ,
uariaturq; semper.
Quando luminaria
sunt in zenith & di-
stant 90. gradibus ab
oriente, & luna nul-
lam habuerit latitudi-
nem, nulla est diuersi-
tas aspectus, sed uisibi
lis ☌ & uera cadunt
in unum punctum cae-
li atq;

Eclipse de Sol en la obra *La forma de la Tierra* de Abraham bar Hiyya.

lascasasastrales

La primera casa es la de la vida. Los cinco datos más importantes que se deben conocer para determinar, en el momento de nacer, la duración de la vida de la persona son: el grado del ascendente, el grado del Sol, el grado de la Luna, el grado de la parte de la fortuna y el grado de la conjunción u oposición precedente. Si todos estos son positivos indican una vida larga.

La segunda casa indica la riqueza y el mantenimiento y en esto influye Júpiter más que los otros planetas. [...] La conjunción de Saturno y Júpiter en esta casa indica que se tendrán tesoros o que se encontrarán.

La tercera casa se refiere a los hermanos y si el ascendente es Cáncer o Capricornio indica que tendrá enemistad con ellos. Si el planeta Marte, que es el encargado de esta casa, se encuentra en una posición dañina puede indicar que se le morirán los hermanos o que no nacerá ninguno más después de él. La posición de Venus se refiere a la hermana mayor y la de la Luna a la menor. La tercera casa también sirve para predecir asuntos relacionados con la Iglesia y con la ciencia y así, por ejemplo, un buen planeta en esta casa anuncia que se conseguirá un cargo eclesiástico y se tendrán buenos conocimientos científicos. Si el ascendente es Sagitario o Capricornio, el nacido será sabio y astrólogo.

La cuarta casa indica las posesiones de tierras y casas y anuncia el destino de los padres. La quinta se refiere a los hijos, a los vestidos y a los placeres. Las influencias de Júpiter, Venus y la Luna ayudan a tener hijos, sobre todo si están en signos de agua; sin embargo, Saturno, Marte y el Sol producen el efecto contrario. Si Mercurio está en posición oriental con respecto al Sol favorece la procreación y perjudica si está en posición occidental.

De la sexta casa depende el futuro del ganado vacuno y lanar, de los esclavos y criados y también determina las posibles enfermedades que padecerá el nacido. En este sentido, Zacuto relaciona los planetas con cada una de las partes del cuerpo

En el epílogo, Zacuto incluye algunas predicciones sobre las desgracias que pueden ocurrir cuando los eclipses de Sol y de Luna suceden en cada uno de los signos del zodíaco. Estas son algunas de ellas:

Si el eclipse de Sol sucede en Aries significa enfermedades y muertes, privación de su dignidad en magnates y daños en los jueces, denota sequedad en el aire, enfermedades y muer-

humano; así, las posiciones del Sol y la Luna determinan las enfermedades de los ojos, a los que llama luminarias. *Estos dos planetas se encargan de los lados derecho e izquierdo respectivamente del cuerpo humano, además de que cada planeta influye en cada una de sus partes.*

La séptima casa indica las relaciones del nacido con las mujeres y con los enemigos. Saturno indica que se casará con mujeres viudas o feas y si Venus está en esta casa quiere decir que las mujeres sufrirán alguna contrariedad.

La octava casa es la de la muerte y las herencias. Diversas maneras de morir vienen indicadas por la constelación o el planeta que se encuentra en esta casa. La novena casa indica qué tipo de ciencia aprenderá. La décima es la casa del oficio, de la honra, de la dignidad, y de las relaciones que tendrá el nacido con los reyes. Si la cabeza del Dragón se junta con Júpiter en el medio del cielo indica que el nacido será Papa o tendrá un alto cargo en la iglesia. También determina el destino de las madres.

La décimo primera es la casa de la buena fama y de los caballeros, de la esperanza y del dinero del rey. También se indica aquí el tipo de amigos que tendrá el nacido: si el Sol está en ella significa que los reyes serán sus amigos. Para conocer qué grado de amistad es posible conseguir entre dos determinadas personas hay que averiguar qué planeta se encontraba en esta casa en el momento de nacer cada una de ellas; así, por ejemplo, si son el Sol y la Luna indica una verdadera amistad.

La casa décimo segunda anuncia los enemigos encubiertos que no se muestran. También es casa de alegría de Saturno y aquí se asienta Mercurio y significa toda ciencia y honra, según dice Hermes. También es casa de la caza e indica que el que nazca bajo esta casa será experto en este arte. Si el señor del ascendente se halla en esta casa indica que caerá de un animal, o será cautivo, desterrado o fraile, sobre todo si Acuario fuera ascendente, pues naturalmente tendrá muchos enemigos que se ganará con sus palabras.

te en el ganado ovino, enfermedades en la cabeza como la modorra y enfermedades de los ojos. Esto afecta fundamentalmente a los climas y ciudades que están bajo el signo en que tuvo lugar el eclipse; así, por ejemplo, Aries es el correspondiente a Galicia y Valladolid. Si se encuentra Saturno en conjunción o en oposición con respecto al Sol, entonces indica guerras entre los reyes. Si la Luna se eclipsó en Aries significa humedad y dolor en la cabeza, tos como los carneros, calenturas continuas y daño al pueblo por parte de su rey.

Si el eclipse de Sol sucede en Tauro significa enfermedades de la garganta, destrucción de ciudades y pueblos, daños en los grandes campos, heladas en las viñas y en los árboles. Si es la Luna la que se eclipsa en Tauro indica enfermedades del ganado vacuno, rencillas y envidias en las ciudades, etc. Si el eclipse de Sol ocurre en Géminis indica discordias entre los reyes y entre los pueblos, enemistad entre hermanos y compañeros, sarna en las manos de los hombres y enfermedades en las patas de los animales, y plagas de langosta. Si es la Luna la que se eclipsa en este signo anuncia desgracias muy similares a las del eclipse solar.

Cuando el eclipse de Sol ocurre en Cáncer indica destrucción de las ciudades nobles que están a la orilla del mar, muchas muertes de personas en el mar como consecuencia de guerras o tormentas. Si es la Luna la que se eclipsa en este signo, entonces el agua de las fuentes estará sucia, habrá enfermedades de la cabeza y malos pensamientos entre los pueblos.

El eclipse de Sol en Leo anuncia sequía y ruina de las cosechas de trigo, enemistad entre los reyes y la iglesia de Roma y, en general, daños en las iglesias. En Virgo indica daños en las viñas y en las frutas tardías, en los monasterios y en los religiosos. Si es la Luna la que se eclipsa en este signo señala discordias y malos pensamientos en los religiosos y malos testimonios en la ciencia de la astrología; también anuncia heladas y granizo. El eclipse del Sol en Libra predice pérdida de poder de los reyes y males a los emperadores; si es en Sagitario anuncia discordias entre los nobles y los reyes.

Si el eclipse de Sol fuera en Piscis, significa pestilencia en los peces de los grandes ríos y mucha agua, daños en los hombres de iglesia y en las propias iglesias, y enfermedades en los pies. Si la Luna se eclipsase en Piscis, significa agua, escasez de pescados, enfermedades de los pies, estorbos en los caminos, daños en los mercaderes que viajan por mar, batallas en el mar y putrefacción de mercancías.

Zacuto al servicio de los reyes de Portugal

Cuando en 1492 llegó el edicto de expulsión de los judíos de los reinos de Castilla y Aragón, a Zacuto se le planteó la posibilidad de cruzar la frontera de Portugal y comenzar una nueva vida. Aunque muchos de estos expulsados sufrieron todo tipo de desgracias, porque no se les permitía la entrada en este reino, Abraham Zacuto no se encontraba entre ellos. Gracias a la ayuda de quien había sido su maestro, el rabino Isaac Aboab, consiguió permiso oficial del rey Juan II para instalarse en Lisboa. Su fama como astrónomo precedía al salmantino y no tardaría mucho en conseguir, por mediación de Diego Ortíz de Calçadilla, un puesto al servicio del rey Juan II como astrónomo y cronista.

zacutoycristóbalcolón

Después de estar al servicio de Juan de Zúñiga, Abraham Zacuto volvió por un tiempo a Salamanca. Los Reyes Católicos se encontraban en esta ciudad entre 1486 y 1487 y mandaron llamar a todos los astrónomos, astrólogos y cosmógrafos que estuvieran por estas tierras para consultarles sobre el proyectado viaje de Cristóbal Colón. Es muy probable que Zacuto estuviera entre ellos y que se encontrara con el propio almirante. Cristóbal Colón utilizó los trabajos astronómicos de Zacuto y en especial sus Tablas astronómicas *y de ello da cuenta en su propio diario. La información que dio el astrónomo en sus obras sobre el procedimiento para calcular los eclipses de Sol y de Luna le sirvió de gran ayuda al propio Colón en un momento clave de su vida. En el puerto de Santa Gloria de la isla de Jamaica se amotinó la tripulación y amenazaron de muerte al almirante, que estaba guardando cama a causa de un ataque de gota. Diego Méndez en su testamento nos cuenta así este hecho: los indios se amotinaron y se negaron a traer comida al almirante; él los mandó llamar y les dijo que había iniciado esta expedición por mandato divino. Además les dijo que esa misma noche del 24 de febrero de 1504 Dios mostraría una señal en el cielo para indicar que estaba totalmente en contra del amotinamiento de la tripulación. Cuando esa misma noche se produjo el eclipse de Luna, los indios se sintieron muy asustados y prometieron que le traerían de comer. El motín se disolvió. Diego Méndez incluye en su relato un fragmento de las memorias de Colón en las que este cita textualmente el tratado de Zacuto donde se explica el cálculo del eclipse que se produjo en esa fecha.*

Ilustración en la que se representa a Cristóbal Colón visitando a Abraham Zacuto en su gabinete de trabajo. Tomada del libro de A. C. de Barros Basto, *Don Abraham Zacuto: Rabi, astrónomo, historiógrafo*, Oporto, 1946, pág. 23.

diegoortízdecalçadilla

En 1469 Diego Ortíz de Calçadilla sustituyó a Juan de Salaya en la cátedra de astronomía de la Universidad de Salamanca. Este catedrático estuvo entre quienes apoyaron la opción de Juana la beltraneja, *casada con Alfonso V, rey de Portugal, en la disputa por el trono de Castilla con Isabel* la católica, *que terminó en 1476 con la batalla de Toro. Como consecuencia, Diego Ortíz, que según algunos cronistas de la época era confesor de* la beltraneja, *tuvo que abandonar Salamanca y marchar al vecino reino de Portugal. Como eclesiástico no tardó mucho en conseguir los favores del rey y sus conocimientos científicos le ayudaron en su participación en los proyectos de navegación que en esos momentos se estaban llevando a cabo en el país vecino. Parece ser que Diego Ortíz presidió la llamada* Junta dos Mathematicos *que aconsejaba al rey Juan II sobre asuntos de navegación y que rechazó la propuesta de Cristóbal Colón en 1482. También se asocia el nombre de este eclesiástico español con la elaboración de un mapa de navegación que entregó a Pero da Covilhã y Alfonso de Paiva antes de que emprendieran rumbo a la India.*

La firma del propio Zacuto aparece en un documento fechado el 9 de junio de 1493 en el que se ordena la entrega a este judío de diez espadines de oro y dice lo siguiente: *"R. Abraham Zacut, astrónomo del rey Juan".* Sin embargo, algunos paleógrafos modernos ponen en duda que esta sea su verdadera firma.

Al morir el rey Juan II, Zacuto continuó con su labor en la corte de su sucesor, el rey Manuel I. Parece ser que gracias a la influencia que ejerció en él, Zacuto consiguió que en 1496 el monarca portugués liberara a los presos judíos que habían sido llevados a la cárcel en el reinado anterior por no pagar los impuestos.

Firma de Zacuto encontrada en un documento de 9 de junio de 1493 en el que se ordena la entrega a este judío de diez espadines de oro. Dice: *"R. Abraham Zacut, astrónomo del rey Juan".* Los paleógrafos modernos ponen en duda que ésta sea la firma de Zacuto. Lisboa, Arquivo Nacional da Torre do Tombo, Corpo Chronologico, parte 1ª, maço 2, doc. 18.

Tabla stelaꝝ fixaꝝ p̄me ⁊ secūde magnitudinis ad ꝗ octaue spere

magnitudo		signa	longit	lati	pars	natura
1		♈	6 48	61 30	meridi	Jonis
1		♉	6 18	23 0	septem	mãtis ⁊ mercu
1		♉	19 18	5 10	meridi	martis
1		♊	1 38	22 30	septem	Jonis ⁊ mercu
1		♊	8 38	17 30	meridi	martis ⁊ mercu
1		♉	26 28	31 30	meridi	saturni ⁊ Jonis
1		♊	23 48	75 40	meri i	saturni
1		♊	24 18	39 10	meridi	Jonis ⁊ mãtis
1		♋	5 48	16 10	meridi	mercu ⁊ martis
1		♌	9 8	0 10	septem	Jonis ⁊ mãtis
1		♍	1 8	11 50	septētr	saturni ⁊ veneris
1		♎	3 18	2 0	meridi	veneris ⁊ mercu
1		♎	3 38	31 30	septem	Jonis ⁊ mãtis
1		♏	19 18	4 0	meridi	mãtis ⁊ Jonis
2		♐	23 58	62 0	septem	veneris ⁊ mercu
1		♒	13 38	23 0	meridi	martis ⁊ mercu
2		♒	15 48	60 0	septem	veneris ⁊ mercu
2		♊	1 58	24 10	meridi	Jonis ⁊ saturni
2		♉	11 28	30 30	septem	martis ⁊ mercu
2		♊	9 28	20 0	septem	martis ⁊ mercu
2		♊	0 38	17 30	meridi	Jonis ⁊ saturni
2		♋	24 48	72 10	septem	saturni ⁊ veneris
2		♋	24 18	49 0	septem	martis
2		♋	28 48	44 10	septem	martis
2		♊	29 58	9 20	spete m	mercu
2		♋	3 23	6 15	septem	martis
2		♌	1 48	8 30	septem	saturni ⁊ mercurii
2		♌	2 48	74 50	septem	saturni ⁊ vener

Tablas de Zacuto del *Almanach perpetuum*. Es una tabla de las estrellas fijas que contiene los siguientes datos: magnitud (1 ó 2), una columna en blanco donde deberían estar los nombres de las estrellas, longitud (medida en signos, grados y minutos), latitud (medida en grados y minutos y la indicación *meridi* si está en el hemisferio sur y *septem* si está en el hemisferio norte) y los planetas que están relacionado con cada una de ellas a efectos de conclusiones astrológicas. Leiria, 1496, fol. 164v (Madrid, Biblioteca Nacional I-1077).

josévicinho

José Vicinho, el traductor y editor del Almanach perpetuum *en 1496, tuvo un papel relevante en Portugal en los proyectos de navegación de finales del siglo XV. Parece ser que fue miembro de la* Junta dos Mathematicos *que se encargaba de asesorar al rey Juan II sobre asuntos tan importantes a la hora de hacerse a la mar como la manera de orientarse mediante la medición de la altitud solar.*

Algunos documentos también mencionan a este autor entre los que fueron enviados por el rey de Portugal a Guinea para medir la altitud del Sol en este país y poder establecer así su latitud geográfica. Esta información aparece en forma de notas al margen en dos obras propiedad del mismísimo Cristóbal Colón: el Ymago mundi *de Pierre d'Ailly y la* Historia rerum ubique gestarum *de Aeneas Silvius Piccolomini. En las notas que aparecen en esta última, su autor asegura que estaba presente cuando el* maestre Josepius *entregó al rey el informe sobre el mencionado viaje. Algunos autores han identificado a este anotador con el propio Colón, pero se ha discutido que también podría haber sido su hermano Bartolomé o el propio hijo de Colón.*

El científico portugués conocido como maestre Josepius *es el autor también de la parte de náutica del llamado* Regimento de Munich, *unas normas para ayudar a los marineros a navegar en mar abierto, pero es difícil asegurar a ciencia cierta que se trata del mismo que tradujo la obra de Zacuto. No obstante, son varias las teorías, obras e ideas que se han atribuido a José Vicinho, lo cual nos da una idea del enorme prestigio que gozó en su época como científico.*

Según Cecil Roth, José Vicinho fue obligado a convertirse al cristianismo en 1497 y tuvo un hijo llamado Ezra, que se instaló en Portugal y compuso un tratado sobre el calendario judío. Ezra Vicinho, que se mantuvo en todo momento fiel a la religión judía, se refiere en su obra a sí mismo como "hijo del ilustre y famoso autor de calendarios, R. José Vicinho, que la memoria de los justos sea su bendición"*: un tipo de alabanza que nunca se aplicaría a quien ha renegado de la propia religión. Esto hace pensar que o bien su padre volvió al judaísmo después de haberse convertido o que su conversión a la religión cristiana no fue del todo sincera.*

El *Almanach perpetuum*

José Vicinho, uno de los consejeros más importantes del rey Juan II de Portugal en materia de astronomía y alumno de Abraham Zacuto, decidió hacer en 1496 una versión reducida de la *Composición magna* de Zacuto en latín y le puso por título *Almanach perpetuum*. La imprenta de Leiria, dirigida por el judío Abraham Samuel d'Ortas, publicó en ese mismo año esta versión, que recoge solo una parte de la

Tabula latitudinis Saturni septemtrionalis

	centrum	7 10	7 14	7 20	7 26	8 2	8 8	8 14	8 20	0 0
		1 10	1 6	1 0	0 24	0 18	0 12	0 6	0 0	0 0
argumentum		g m	g m	g m	g m	g m	g m	g m	g m	g m
0 0	0 0	0	0 8	0 21	0 33	0 45	0 58	1 8	1 19	0
0 6	11 24		0 8	0 21	0 33	0 45	0 58	1 8	1 19	0
0 12	11 18	0	0 8	0 21	0 33	0 46	0 58	1 9	1 19	0
0 18	11 12		8	21	34	46	59	1 9	1 20	
0 24	11 6	0	0 8	0 21	0 34	0 47	0 59	1 10	1 20	0
1 0	11 0		9	21	34	47	1 0	1 10	1 21	
1 6	10 24	0	0 9	0 22	0 35	0 48	1 1	1 11	1 22	0
1 12	10 18		9	22	35	48	1 1	1 12	1 23	
1 18	10 12	0	0 9	0 22	0 35	0 48	1 2	1 14	1 24	0
1 24	10 6		9	22	36	49	1 3	1 15	1 45	
2 0	10 0	0	0 9	0 23	0 36	0 50	1 3	1 16	1 26	0
2 6	9 24		9	23	37	51	1 4	1 17	1 27	
2 12	9 18	0	0 9	0 23	0 37	0 51	1 5	1 19	1 29	0
2 18	9 12		10	24	38	52	1 7	1 20	1 31	
2 24	9 6	0	0 10	0 24	0 39	0 53	1 8	1 22	1 33	0
3 0	9 0		10	25	40	55	1 10	1 24	1 35	
3 6	8 24	0	0 10	0 25	0 41	0 56	1 11	1 26	1 37	0
3 12	8 18		10	26	42	57	1 13	1 27	1 39	
3 18	8 12	0	0 11	0 26	0 42	0 58	1 14	1 29	1 41	0
3 24	8 6		11	27	43	59	1 16	1 31	1 43	
4 0	8 0	0	0 11	0 27	0 44	1 0	1 17	1 32	1 45	0
4 6	7 24		11	28	45	1 1	1 18	1 33	1 46	
4 12	7 18	0	0 11	0 28	0 45	1 2	1 19	1 35	1 48	0
4 18	7 12		12	29	46	1 3	1 20	1 36	1 50	
4 24	7 6	0	0 12	0 29	0 47	1 4	1 22	1 37	1 51	0
5 0	7 0		12	29	47	1 5	1 23	1 38	1 52	
5 6	6 24	0	0 12	0 30	0 48	1 6	1 24	1 39	1 53	0
5 12	6 18		12	30	48	1 6	1 24	1 40	1 54	
5 18	6 12	0	0 12	0 30	0 48	1 7	1 24	1 40	1 55	0
5 24	6 6		12	30	49	1 7	1 25	1 40	1 55	
6 0	6 0	0	0 12	0 30	0 49	1 7	1 25	1 40	1 55	0

Tablas de Zacuto del *Almanach perpetuum*. Corresponde a la primera página de las latitudes de Saturno. Leiria, 1496, fol. 77v (Madrid, Biblioteca Nacional I-1077).

las repercusiones del *almanach perpetuum* en el siglo XVI

A través de la versión de Vicinho al latín, con el título de Almanach perpetuum *sería conocida la obra de Zacuto en el mundo occidental y de ella se hicieron varias ediciones en Venecia en 1498, 1502, 1525 y 1528. La de 1502 fue corregida y anotada por Alfonso de Córdoba, médico al servicio del cardenal Borgia en Roma, que también fue el autor de otras tablas astronómicas publicadas al año siguiente. Existe también una versión en árabe publicada en Estambul en 1506-1507 por Moisés Galino y conservada actualmente en la biblioteca de El Escorial. Una versión en ladino de la obra de Zacuto fue publicada en Salónica por Daniel ben Perahia.*

La influencia del Almanach perpetuum *en los científicos cristianos portugueses del siglo XVI fue muy grande. La obra de Valentim Fernandes,* Reportório dos Tempos, *publicada en Lisboa en 1518, fue escrita como ayuda de navegantes e incluye instrucciones para utilizar algunas tablas astronómicas tomadas de la obra de Zacuto. Influencias similares pueden encontrarse en las obras de André Pires,* Livro de Marinharia, *escrita entre 1500 y 1520, y de Pedro Nuñes,* Tratado da sphera com a theorica do Sol e da Lua, *publicada en Lisboa en 1537.*

Pero también fue conocida la obra de Zacuto en el mundo musulmán, pues existe una versión en árabe publicada en el Magreb en 1569 por Ahmad ben Qasim al-Hajari al-Andalusí y que se conserva en manuscritos en diversas bibliotecas.

Composición magna: un resumen de diez páginas del texto en prosa y de la parte de las tablas, sólo las de los planetas. Esta versión contiene algunas diferencias con respecto al original hebreo y no se puede calificar como una traducción, aunque algunos investigadores así la han considerado. Más bien parece una revisión del original hebreo realizada con mucha prisa, porque contiene algunos errores muy evidentes que lo atestiguan, como por ejemplo, que algunas tablas estén cambiadas de orden, que contenga títulos que no corresponden a los capítulos, y que en los cánones haya dos capítulos que lleven el número 7. Un error grave es la omisión de los nombres de las estrellas en la lista en que se dan los datos de sus posiciones, aunque aparecen los signos del zodíaco a que corresponde cada una de ellas y los planetas con los que se relacionan a efectos de las predicciones astrológicas. La razón para omitirlos puede ser que José Vicinho no conociera los equivalentes en latín a los nombres hebreos. Esto demuestra también que el propio Zacuto no tuvo ninguna responsabilidad en esta publicación y probablemente ni siquiera fue consultado, pues era práctica habitual de los impresores de esta época no consultar con los autores a la hora de llevar a cabo una edición de sus obras.

Otra novedad de esta versión en latín es que incluye una dedicatoria a un obispo salmantino de quien no se nos dice el nombre, pero nos informa que encargó la composición de unas tablas con las posiciones de los planetas, que fueran de uso fácil y a la vez útiles para las predicciones astrológicas. No se sabe si esta petición fue dirigida al propio Zacuto, pero curiosamente esta dedicatoria esta copiada casi literalmente de la que el científico

Astrolabio de origen español con inscripciones en hebreo.

Regiomontano dirigió a un obispo de Hungría al comienzo de su obra *Tabulae Directionum*, publicada en Augsburgo en 1490. Lo más probable es que la dedicatoria fuera añadida por el traductor o por el propio editor, Samuel d'Ortas.

Posteriormente, también José Vicinho hizo una traducción completa del texto en hebreo al castellano, de la cual se conserva un ejemplar del que se dice que contiene notas manuscritas del mismísimo Cristóbal Colón.

El viaje de Vasco de Gama a la India

Durante esos años de finales del siglo XV se estaba preparando la expedición portuguesa de Vasco de Gama a la India. El monarca portugués Manuel I le pidió a Zacuto que asesorara científicamente a esta expedición y además que predijera su suerte. El salmantino emitió una opinión favorable a tal empresa y comunicó al rey que el éxito dependía de que dos hermanos fueron al frente de la expedición, pues así parecían indicarlo los astros.

Una enorme satisfacción debieron de producirle al monarca portugués las predicciones de Zacuto y parece ser que tuvieron mucha influencia en que tal expedición se llevara a cabo e incluso en que fuera Vasco de Gama el capitán mayor de la armada pues a él le preguntó el rey *"si tenía algún hermano"*, lo cual fue decisivo en que fuera él el elegido. Vasco de Gama, antes de emprender el viaje, habló con Zacuto para que le diera algunos consejos útiles sobre la navegación. Además, el propio rey le pidió que enseñara a los marinos cómo orientarse en el mar calculando la altura del Sol. Zacuto les proporcionó esta información gracias a un astrolabio de metal diseñado por él mismo y que superaba, por su mayor precisión, a los anteriormente fabricados en madera. También les enseñó a utilizar las tablas astronómicas y las cartas de navegación que él mismo había elaborado y que serían después decisivas en otros viajes de marinos portugueses.

Llegada a Túnez

A pesar del éxito que tuvo Zacuto en la corte del rey portugués, no pudo escapar a las persecuciones contra los judíos decretadas por Manuel I, que se iniciaron el 24 de diciembre de 1496 y que trajeron como consecuencia el edicto de expulsión de los judíos de Portugal al año siguiente. En compañía de su hijo Samuel, Abraham Zacuto salió del país e inició un nuevo exilio marchando a África, donde padre e hijo fueron hechos prisioneros en dos ocasiones. Con estas palabras describe nuestro autor su experiencia: *"por mis peca-*

fragmentodelacrónicadelportuguésgasparcorrea sobrelaparticipacióndeabrahamzacuto enlapreparacióndelviajealaindia

Antes de mandar hacer el descubrimiento de la India, D. Manuel I mandó llamar a Beja a un judío muy conocido suyo, que era un gran astrólogo y se llamaba Zacuto, y habló con él en secreto; le encargó que le indicase si el descubrimiento de la India era posible, porque si así fuera, estaba dispuesto a gastarse en ello todo lo que hiciera falta. Nada se haría sin el consejo de este judío y por eso le había llamado, para que viese y examinase por su buen saber todo lo que hiciera falta en el tiempo que considerase necesario para dar una respuesta. El judío, después de hacer sus diligencias, quiso mostrar a Nuestro Señor su deseo y cuando logró averiguarlo todo, se dirigió al rey con gran satisfacción y le dijo:

"Señor, con el mucho cuidado que tuve en lo que Vuestra Alteza me encargó, he averiguado que la provincia de la India está muy lejos de nuestra región, alejada por largos mares y tierras, cuyos habitantes son de raza negra y en las que hay grandes riquezas y mercancías que circulan por muchas partes del mundo, aunque existen grandes peligros. Pero he examinado por deseo de Nuestro Señor y he averiguado que Vuestra Alteza la descubrirá y dominará gran parte de la India en muy poco tiempo, porque, Señor, vuestro planeta es grande bajo la insignia de Vuestra Real persona, y espero que se contengan en ella los cielos y la tierra, porque Dios querrá traer todo a vuestro poder, y todo acabará, pero no acabará el rey que Dios tiene, aunque gastara en ello todo su reino, porque tal cosa Dios la tenía guardada para Vuestra Alteza. He encontrado que descubrirán la India dos hermanos, naturales de vuestro reino, pero quienes sean, yo no alcanzo a saberlo. Mas pues así lo ha ordenado Dios, Él lo mostrará, por lo cual he dicho a Vuestra Alteza toda la verdad, por lo que pongo mi cabeza en prenda a merced de Nuestro Señor, en cuyo poder todo tengo".

dos, a causa de las persecuciones, de la cautividad y de la pobreza, no tengo ya fuerza ni para saber, mi ciencia ha desaparecido, se ha embotado mi juicio". Finalmente llegó a Túnez donde, una vez recobrada la tranquilidad y el ánimo, pasó varios años llevando una vida relajada dedicada a la enseñanza de la astronomía. Uno de sus alumnos fue Agustín Ricio, autor de la obra *De motu octavae sphaerae*. En su *Libro de las genealogías,* Zacuto se queja de la carencia de libros que padece en Túnez y que le impedirán llevar a cabo sus investigaciones correctamente.

El *Libro de las genealogías*

Fue en esta ciudad del norte de África donde en 1504 Zacuto terminó su *Libro de las genealogías*, obra que despertó entre los judíos las inquietudes por la investigación histórica. Se trata de una historia de los grandes sabios, rabinos e intelectuales judíos desde la creación del mundo hasta el año 1500. El propio Zacuto nos cuenta en la introducción sus intenciones al emprender esta tarea y nos dice que, después de haber dedicado prácticamente toda su vida a escribir sobre la estrellas del cielo, al final ha decidido escribir sobre las estrellas de la Tierra, que son los sabios judíos, y añade que *"la estrella es la luz en la esfera celestial, es como el alma en el cuerpo, es decir, el fundamento. Y ciertamente así es, porque ellos, los sabios de la* Misná *y el* Talmud, *así como sus sucesores, con los libros que compusieron para lograr mérito en favor nuestro, iluminan nuestras almas".*

Esta obra apareció en una época en que la investigación histórica cobró un enorme interés por parte de los judíos, probablemente por el hecho de vivir la terrible experiencia de la expulsión de España y Portugal. El inicio del exilio hizo que los intelectuales judíos buscaran consuelo para sus correligionarios elaborando obras que recogieran las glorias del pasado y que les pudieran servir como ejemplo para perseverar en la fe a pesar de las adversidades. Por otra parte, también se despertó en estos años un fuerte interés por el *Talmud*, por el significado que tiene esta obra de compendio de la tradición judía, y se hizo necesaria la elaboración de obras que sirvieran de guía en este enorme corpus de tradiciones y leyes.

Una de las intenciones de Zacuto al elaborar su *Libro de las genealogías* fue la de ayudar al lector a distinguir claramente a qué autor se refiere el *Talmud* cuando los menciona simplemente con el nombre de Rabí Simeón, Rabí Judá u otros. La mejor manera de hacerlo es indicando claramente la biografía de cada uno y, sobre todo, señalando a qué generación pertenecían, lo cual era fundamental para determinar el valor de sus afirmaciones legales. Puso especial atención también, como otros autores anteriores de crónicas similares a ésta, en introducir en las vidas de estos sabios datos referentes a acontecimientos históricos importantes y personajes claves que participaron en ellos, aunque no fueran judíos.

En este sentido, lo más novedoso de la obra de Zacuto es la inclusión de datos sobre científicos cuyos trabajos él mismo había conocido, especialmente astrónomos, matemáticos y médicos.

La mayor novedad que aporta esta obra a la ciencia historiográfica es el método utilizado por Zacuto, que no se limita simplemente a recoger datos y ponerlos por escrito, sino que los selecciona, estudia y analiza desde una perspectiva científica. Es sumamente cuidadoso, a diferencia de los cronistas que le precedieron, en citar las fuentes de donde ha tomado la información, incluyendo algunas no judías. En este sentido hace notar su espíritu crítico con obras de similares características, como los últimos diez capítulos de la *Introducción al Comentario a la Misná* de Maimónides o el *Libro de la tradición* de Abraham ibn Daud. Zacuto corrige los errores de estas obras, aportando numerosas pruebas de los datos que él considera correctos. De Maimónides dice lo siguiente:

Le pareció al Maestro, de bendita memoria, que le creerían sin más los que le siguieran y que ya no seguirían investigando después de él. A veces, sin embargo, para buscar en los agujeros y en las ranuras, es mejor la lámpara pequeña que la gran luminaria y la antorcha, como dijeron nuestros maestros, de bendita memoria. Así, mis antepasados me dejaron un lugar del que pueden sentirse orgullosos; quizá venga otro e investigue más que yo y recibirá recompensa, pues todo es obra de los cielos.

Una de las aportaciones fundamentales de esta obra, que no aparece en ninguna otra ni anterior ni posterior, es la demostración de que el libro fundamental de la mística judía, el *Zohar*, fue escrito por Moisés de León, no por Simeón ben Yohai como se había creído hasta entonces.

Algunos datos interesantes aparecen en esta obra relacionados con la astronomía y el calendario, como el de que en el año 1381 *"abandonaron los cristianos el cómputo de César Augusto, que es 38 años antes del actual cómputo de los cristianos, y comenzaron a contar desde el nacimiento del nazareno"* o el de que *"en el año 1478, un jueves 29 del mes de* ab, *a mediodía hubo en España un eclipse de Sol como no se había visto antes, pues se puso como si fuera medianoche".*

En esta obra se advierte un espíritu hondamente religioso y su carácter judío, que no aparece tan claramente en sus obras científicas, marca profundamente su visión de la historia.

Cuando la conquista española amenazó la costa africana, Zacuto decidió marchar a oriente y pasó el final de sus días en Damasco, donde vivían unos parientes suyos. Parece ser que pasó una temporada en Jerusalén donde volvió a componer otras tablas astronó-

8 de junio de 1518. Habrá eclipse de Sol y esto quiere decir grandes cambios, que no habrá paz ni acuerdos entre los reyes ni entre los pueblos y que se echarán a perder los frutos ácidos. También indica odio entre los pueblos, los hermanos y los amantes y la enfermedad de la gota. La langosta arrasará el trigo en algunos países y sufrirán desgracias los cristianos, especialmente en España.

Noche del 6 al 7 de noviembre de 1519. Habrá eclipse de Luna y esto indica matanzas en oriente; unos lucharán contra otros, los buenos sufrirán enfermedades, las mujeres pedirán el divorcio, habrá falsedades y mentiras y cada uno engañará a su compañero. Habrá desgracias en los países islámicos y guerras y tumultos hasta que pase el año 1522, cuando el que haya podido sobrevivir dirá: "hoy he vuelto a nacer". Israel debe arrepentirse completamente y rezar a Dios para que le salve de los peligros y de las guerras, porque todo el que clama a Dios será salvado. Estos son los dolores previos a la venida del mesías que será cuando se cumplan 927 años, 6 meses y 2 días según el cómputo de los musulmanes, que corresponden a años lunares y son equivalentes a 900 años solares.

En el año 1524 habrá una conjunción de planetas como nunca antes se ha producido. Esto indica que los países cristianos de oriente sufrirán terribles desgracias; el mar entrará en ellos y anegará parte de sus tierras. Feliz será el que espera y llega a ese año con arrepentimiento, el corazón recto y buenas acciones. Ese día llegará la redención y la salvación a Israel, aunque las guerras y los desórdenes continuarán hasta el año 1529. La conjunción tendrá lugar entre Acuario y Piscis, como ocurrió cuando los israelitas entraron en la tierra prometida en los tiempos de Josué y en los de Esdras. Habrá dos eclipses y Marte estará en conjunción con Saturno y Júpiter. Esto indica guerras importantes, como las de Gog y Magog, y el mesías, hijo de José, será asesinado. Cuando Venus se acerque a estos planetas, la salvación brotará en Israel y llegará el mesías, hijo de David. Que Dios le bendiga en atención a su nombre, que nos ayude, nos apoye y nos mantenga con la justicia de su mano derecha, y nos conceda una buena vida para siempre contemplando la bondad de Dios en el país de la vida. Amén y que se cumpla su deseo.

Copiado del comentario a las profecías de Nahmán, que la paz esté con él.

micas, pero en este caso para el meridiano de esta ciudad y el año *radix* 1513. Murió en 1515 en Damasco.

Durante los años que estuvo en el norte de África, después de una larga vida de dedicación a la ciencia astronómica y astrológica, pasando por varios momentos difíciles, Abraham Zacuto probablemente se preguntaba en más de una ocasión por la utilidad de sus conocimientos científicos en unas circunstancias históricas tan adversas para el pueblo judío. Es posible que en su tratado titulado *Juicios astrológicos* podamos encontrar la respuesta no sólo a sus inquietudes, sino a las de muchos judíos que, tras la terrible experiencia del destierro, que en algunos casos incluso habían experimentado por partida doble, se sentían enormemente desolados por pertenecer a un pueblo que tantas desgracias había sufrido a lo largo de la historia. Es en momentos como éste, cuando el judaísmo recurre a buscar la salvación en sus propias creencias y la figura del mesías redentor resurge para dar esperanza y alivio. Fue entonces cuando Abraham Zacuto encontró que todos sus conocimientos sobre los movimientos de los astros, que durante años le habían servido para hacer todo tipo de predicciones, iban a aportar una utilidad fundamental a quienes deseaban ver satisfecho el deseo de esperanza en la rápida llegada del mesías. Para aportar una base científica a los judíos de la diáspora que tanto anhelaban esta llegada, Zacuto escribió un horóscopo para los años 1518-1524 con el título *Juicios astrológicos* en el que se anuncia la llegada el año 1529 de dos mesías: el primero, hijo de José, será asesinado, y el segundo, hijo de David, será el que consiga finalmente la redención de Israel. Esta obra tuvo un enorme éxito en Italia, donde se hicieron varias ediciones en Ferrara.

Si la concepción teológica de la historia del pueblo de Israel culmina con la llegada del mesías, podemos decir que coincide también con la historia de la ciencia judía en la España medieval, cuyo último capítulo nos lleva al mismo punto. Los conocimientos científicos para una cultura que tanto valor otorga a su religión, a sus costumbres y a sus tradiciones no podían tener una mayor utilidad práctica que la de llevar consuelo y esperanza a quienes tanto habían padecido por mantener su identidad.

epílogo

A lo largo de estas páginas hemos podido observar las trayectorias científicas de tres autores que, formados en el ambiente multicultural de la España medieval, triunfaron fuera de nuestras fronteras gracias a los conocimientos que poseían en campos como la astronomía, la astrología y la medicina.

En el caso de Abraham ibn Ezra fue precisamente su marcha de Sefarad y su toma de contacto con comunidades judías de otras tierras, que desconocían la riqueza de la cultura sefardí, lo que le hizo ser consciente de que la ciencia en la que se había formado marcaba profundamente sus señas de identidad y podía ser un medio útil de ganarse la vida. Fue a una edad avanzada, cuando los conocimientos científicos habían sido asimilados completamente y se habían asentado en su pensamiento, cuando decidió escribir sus tratados de astronomía y astrología, que tanta fama consiguieron en la Europa medieval.

Los conocimientos médicos adquiridos por Maimónides a lo largo de muchos años de deambular por al-Ándalus y el norte de África le proporcionaron una ocasión única, también como Ibn Ezra lejos de su tierra y en los últimos años de su vida, de ponerlos en práctica nada menos que al servicio de las altas esferas del sultanato de Egipto. Las enfermedades de sultanes, visires y otros altos cargos de las cortes musulmanas le proporcionaron el camino para elaborar tratados de medicina en los que explicaba las causas y consecuencias de sus dolencias y ofrecía remedios para curarlas. Pero Maimónides poseía una mayor amplitud de miras y no se limitó a poner solución a los casos particulares, sino que en sus obras médicas incluyó muchas reflexiones y consejos sobre los métodos fundamentales para mantener la salud del cuerpo. Consciente de la importante influencia que las funciones psíquicas del ser humano ejercen en los órganos corporales, el médico cordobés insistió en los mecanismos psicosomáticos como método para aliviar los síntomas del enfermo y favorecer la curación de las enfermedades. Su fama traspasó los límites del país del Nilo y desde los lugares más alejados recibía peticiones y consultas para dar solución a problemas de salud de todo tipo.

Durante los años que vivió en Sefarad, Abraham Zacuto tuvo ocasión de poner sus conocimientos astronómicos y astrológicos al servicio de obispos y nobles que supieron valorar las capacidades del científico salmantino y apoyaron la elaboración de manuales sobre el funcionamiento de las tablas astronómicas y tratados sobre las aplicaciones prácticas de la astrología, sobre todo en el campo de la medicina. Sus obras astronómicas sirvieron de ayuda en uno de los hechos históricos más trascendentales que tuvieron lugar a finales de la Edad Media: el descubrimiento de América. Pero fue precisamente la expulsión de los judíos de Sefarad decretada por los Reyes Católicos en 1492 lo que le llevó a alcanzar puestos de relevancia en la corte de los vecinos monarcas portugueses, que pidieron al científico sefardí que asesorara la gran empresa de Vasco de Gama de llegar a la India.

Pero la ciencia tuvo para estos intelectuales una utilidad mucho más importante desde el punto de vista de su cultura y su religión. Abraham ibn Ezra supo utilizar las teorías científicas de su tiempo para explicar racionalmente la *Biblia* y enseñar que el texto sagrado no es ajeno a las ideas que la ciencia de otras culturas había desarrollado y transmitido.

Para Maimónides, la medicina fue un elemento de gran valor a la hora de justificar el sentido racional de las leyes que todo judío debía practicar. En su opinión, las normas dietéticas del judaísmo recogidas por la tradición a lo largo de muchos siglos no podían sino confirmar que sirven para mantener la salud coincidiendo así con las teorías fundamentales de la medicina griega y árabe. La importancia que Maimónides concedía también a la salud del alma es un ejemplo de la conciencia religiosa que marcaba su espíritu científico.

En el caso de Abraham Zacuto fue la terrible experiencia de sufrir dos destierros, de España primero y de Portugal después, lo que le llevó a ser consciente de que la ciencia que había desarrollado iba a tener una aplicación para el pensamiento judío del momento. Después de la salida de Portugal, Zacuto sintió la necesidad de reivindicar su cultura y volvió la vista atrás para hacer un repaso de la historia de la tradición de su propio pueblo. Las estrellas del cielo quedaron olvidadas y el salmantino prefirió poner su atención en las estrellas de la Tierra: en los intelectuales y rabinos que a lo largo de tantos años se habían esforzado por mantener intactas sus tradiciones. Pero sus conocimientos astrológicos iban a servir para algo más importante: un pueblo desamparado, sin tierra, ni hogar, solo podía encontrar una solución a tantas desgracias e infortunios en la inminente llegada del Mesías. Y así, Zacuto puso en marcha sus cálculos y operaciones matemáticas para buscar en la posición de los astros la esperanza que todos anhelaban y anunció que el Mesías llegaría hacia el año 1529. La promesa no se cumplió, pero para entonces Zacuto ya había muerto y probablemente los que tanto habían deseado que llegara ese momento ya había encontrado consuelo en otras tierras y en otra manera de vivir. Parece así como si el final de la trayectoria científica de los judíos en Sefarad coincidiera con la culminación, desde una perspectiva teológica, de la historia del pueblo judío.

bibliografía

Barkai, R., "Significado de las aportaciones de los judíos en el terreno de la medicina, la astrología y la magia" en A. Sáenz-Badillos (ed.), *Judíos entre árabes y cristianos*, Córdoba: El Almendro, 2000, págs. 73-85.

Cano, M. J. - L. Ferre, *Cinco epístolas de Maimónides*, Barcelona: Riopiedras, 1988.

Cantera Burgos, F., *Abraham Zacut: Siglo XV*, Madrid, s.a.

Cantera Burgos, F., *El judío salmantino Abraham Zacut. Notas para la historia de la astronomía en la España medieval*, Madrid, s.a.

Cantera Montenegro, E., *Los judíos y las ciencias ocultas en la España medieval*, Vitoria: UNED, 2001.

Chabás, J. - B. R. Goldstein, *Astronomy in the Iberian Peninsula: Abraham Zacut and the Transition from Manuscript to Print*, Filadelfia, 2000.

Ferre, L., *Maimónides. Obras médicas*, Córdoba: El Almendro, 1991-1996 (2 vols.).

Gómez Aranda, M., "Aspectos científicos en el comentario de Abraham ibn Ezra al libro de Job", *Henoch* 23, (2001) 81-96.

Gómez Aranda, M., "Teorías astronómicas y astrológicas en el *Comentario de Abraham Ibn Ezra al libro del Eclesiastés*", *Sefarad* 55, (1995) 257-272.

Heschel, A. J., *Maimónides*, Barcelona: Muchnik Editores, 1984.

Lindberg, D. C., *The Beginnings of Western Science*, Chicago-London: The University of Chicago Press, 1992.

Millás Vallicrosa, J. M., *Estudios sobre historia de la ciencia española*, Barcelona: CSIC, 1949.

Millás Vallicrosa, J. M., *Nuevos estudios sobre historia de la ciencia española*, Barcelona: CSIC, 1960.

Millás Vallicrosa, J. M., "Aportaciones científicas de los judíos españoles a fines de la Edad Media", *Actas del Primer Simposio de Estudios Sefardíes*, Madrid: CSIC, 1970, págs. 33-42.

Millás Vallicrosa, J. M., "La ciencia entre los sefardíes hasta su expulsión de España", *The Sephardi Heritage. Essays on the History and Cultural Contribution of the Jews of Spain and Portugal*. Edited by R. D. Barnett and W. M. Schwab, London: Vallentine, 1971, vol. I, págs. 112-185.

Millás Vallicrosa, J. M., "Manuscrits catalans de caràcter astronòmic a la Biblioteca Nacional de Madrid", *Analecta Sacra Tarraconensia* 11, (1935) 279-290.

Millás Vallicrosa, J. M., "La obra enciclopédica de R. Abraham bar Hiyya ha-Bargeloní", *Hebrew Union College Annual* 23, (1950-51) 645-668.

Mose ben Maimón, Maimónides, *Guía de perplejos*. Edición de David Gonzalo Maeso, Madrid: Editorial Trotta, 1994.

Peláez del Rosal, J. (ed.), *Sobre la vida y obras de Maimónides. I Congreso Internacional*, Córdoba: El Almendro, 1991.

Romano, D., *La ciencia hispanojudía*, Madrid: Editorial Mapfre, 1992.

Romano, D., "El papel judío en la transmisión de la cultura", *Hispania Sacra* 40, (1988) 955-978.

Rosner, F. (ed.), *Maimonides. Medical Writings*, Haifa: The Maimonides Research Institute, 1984-1994 (6 vols.).

Roth, N., "The Theft of Philosophy by the Greeks from the Jews", *Classical Folia* 32, (1978) 53-67.

Sáenz-Badillos, A. - J. Targarona Borrás, *Diccionario de autores judíos (Sefarad. Siglos X-XV)*, Córdoba: El Almendro, 1988.

Sarton, G., *Introduction to the History of Science*, Baltimore: Carnegie Institution of Washington, 1927-1948, 5 vols.

Sela, S., «Contactos científicos entre judíos y cristianos en el siglo XII: el caso del *Libro de las tablas astronómicas* de Abraham ibn Ezra en su versión latina y hebrea», *Miscelánea de Estudios Árabes y Hebreos* 45, (1996) 185-222.

Sela, S., «El papel de Abraham ibn Ezra en la divulgación de los *juicios* de la astrología en la lengua hebrea y latina», *Sefarad* 59, (1999) 159-194.

Targarona Borrás, J., *Moseh ben Maimón, Maimónides. Sobre el Mesías: Carta a los judíos del Yemen. Sobre astrología: Carta a los judíos de Montpellier*, Barcelona: Riopiedras, 1987.

Vernet, J., *Historia de la ciencia española*, Madrid: Instituto de España, 1976.

Este libro se terminó de imprimir
en mayo de 2003 en LAVEL Industria Gráfica S.A.,
y la edición estuvo al cuidado
de Jesús Arilla Casado y Gema Delgado.
∞